W9-AKW-445

EL CATÓLICO PREGUNTÓN
222 preguntas que quisiéramos hacerle al Papa pero que no nos atrevemos a preguntarle

2a. reimpresión: abril, 2003

© 2002, Eduardo del Río (Rius)

D.R. © 2002, por EDITORIAL GRIJALBO, S.A. de C.V.
        (Grijalbo Mondadori)
        Av. Homero núm. 544,
        Col. Chapultepec Morales, C.P. 11570
        Miguel Hidalgo, México, D.F.

www.randomhousemondadori.com.mx

Este libro no puede ser reproducido,
total o parcialmente,
sin autorización escrita del editor.

ISBN 970-05-1420-X

IMPRESO EN MÉXICO

rius

El Católico Preguntón

222 preguntas que quisiéramos hacerle al Papa, pero que nos da pena hacerlo

❀ ❀ ❀ ❀ ❀

grijalbo

La ignorancia
es la madre de
todas las
religiones.
San Garabato 25: 10

AGRADECIMIENTOS

Al Espíritu Santo, por haberme inspirado para llevar a cabo la elaboración de este libro.

A la Santa Inquisición, por haber desaparecido de la faz de la tierra antes que yo naciera.

A la Santa Madre Iglesia Católica por haberme vuelto ateo y descreído.

Al Santo Padre Polaco por seguir siendo infalible.

A los Salesianos, por no querer resolver mis dudas y obligarme a resolverlas por mi cuenta.

A mis lectores por seguirme tolerando.

INTROITO

(no hace falta arrodillarse...)

El cuestionario prohibido del católico interesado en conocer qué onda con "su" religión, obedece a la necesidad de saber la verdad de las cosas que constituyen la doctrina oficial de la Iglesia.

Ya es proverbial lo poco que el católico medio (o el medio-católico) sabe del catolicismo. Ninguno conoce su religión ni su Biblia tan bien como la conoce un protestante. Y como dentro de la Iglesia NO se presenta nunca la oportunidad de hacer preguntas (la falta de democracia), el católico se conforma con creer a ciegas lo que le dicen desde el púlpito y jamás expresa sus dudas. Es una de las comodidades de ser católico: nadie le exige conocer su religión a fondo y se concreta a ir de vez en cuando a la misa y a bautizar a sus bodoques. Eso sí, le reza a la Virgencita de

Guadalupe para obtener toda clase de milagros y favores, pero jamás se ha cuestionado la verdad de las Apariciones ni el destino final de sus limosnas. Y claro, a la que menos le interesa ser cuestionada por sus fieles, es a la Iglesia: mientras más ignorantes sean sus fieles, mejor. Los disidentes son peligrosos en cualquier secta o religión. Mala señal es que alguien pregunte cosas; el buen católico se conforma con tener "fe" y punto.

Ésos son los católicos que le gustan a la Iglesia, no los "preguntones".

Una pregunta pide siempre una respuesta y casi nunca se obtiene una respuesta basada en la verdad de parte del sacerdote. A veces es por propia ignorancia del curita, educado para expresar mentiras piadosas, y a veces no responden por no convenir a sus sagrados intereses.

urante los últimos veinte siglos la figura de Jesús ha sido, sin lugar a dudas, la más comentada y discutida . Se ha puesto en duda su existencia histórica, que finalmente ha sido demostrada por testimonios de historiadores ajenos a la Iglesia pretendidamente fundada por él, historiadores que no han tomado en cuenta la "historia" contada en los Evangelios cristianos, únicos escritos aceptados por la Iglesia para demostrar su existencia y misión.

Esos Evangelios, donde se narra su vida, están tan llenos de contradicciones entre ellos, han sido tan cambiados, trucados y falsificados que , lejos de ser la biografía creíble de Jesús, se han convertido en los documentos menos confiables para conocer de verdad la vida y muerte de Jesús.

Por otra parte, resulta verdaderamente sorprendente que no haya una sola página escrita por Jesús, lo que ha hecho suponer que ni Jesús ni sus llamados discípulos sabían escribir, cosa difícil de encontrar en un supuesto Hijo de Dios. Lo que hace pensar que el mismo Dios, todopoderoso y toda la cosa, ¿tampoco sabe leer ni escribir? La divina teología nunca se ha preocupado de sacarnos de la duda.

La investigación de la figura histórica de Jesús la inicié cuando hacía la historieta de *Los Agachados*, elaborando 4 o 5 números que luego formaron el libro titulado *Cristo de carne y hueso*. Posteriormente y con apoyo en los descubrimientos del Mar Muerto y las primeras traducciones pergeñé otro

POR FAVOR... ¿NO PODRÍAN CONTROLAR AL TAL RIUS...? ¡OTRO LIBRO!

libro, *Jesús alias el Cristo*, donde se asoma sin mucha seguridad el Jesús esenio. Pero en ambos libros, que cuentan ya con docenas de reimpresiones, sólo se insinúa tímidamente la imposibilidad de una Iglesia fundada por don Jesús el Galileo.

Y ésa es la misión encomendada a este nuevo y escandaloso libro:

¿JESÚS, POBRE ENTRE LOS POBRES, FUNDÓ UNA IGLESIA QUE SE CONVIRTIÓ EN UN PODEROSO Y CORRUPTO IMPERIO?

Confieso que el tema de la Iglesia se me ha vuelto obsesión y meta de vida. ¿Cómo es posible -me digo- que una institución basada en falsedades y falsificaciones de la figura y el pensamiento de Jesús haya perdurado por casi 20 siglos ? ¿A qué se debe que Dios no haya intervenido para acabar con la institución más nefasta que ha tenido la humanidad y que se apoya en ese mismo Dios (y su Hijo) como principales patrocinadores ?

Ésas y otras preguntas peores trataré de contestar en este provocador libro que hoy está en manos del lector.

El autor   + iM DOY FE

¡ Me gusta la pregunta !

PRIMERA PARTE

EMPECEMOS PUES POR LAS PREGUNTAS...

NINGÚN CRISTIANO QUE SE PRECIE DE SERLO (O AL MENOS DE SER CONSIDERADO COMO TAL), SE CUESTIONA SI JESUCRISTO EXISTIÓ O NO. SIMPLEMENTE "CREE" QUE SÍ PORQUE ASÍ LO EDUCARON Y ASÍ SE LO DICEN TODOS LOS DOMINGOS... PERO HAY ALGUNOS QUE SE HAN TOPADO CON ALGUNA REVISTUCHA DONDE SE HAN PLANTEADO ESTA MISMA PREGUNTA:

¿Existió Jesús?

¿Hay pruebas HISTÓRICAS DE JESÚS...?

"Cristo, el fundador del Nombre, fue ajusticiado en el reino de Tiberio, pero **la s**uperstición perniciosa reprimida por un tiempo, volvió a hacer irrupción, no solamente a través de Judea, donde tuvo origen este error, sino también por toda la ciudad de Roma."
CORNELIO TÁCITO
Annals XV (año 112 d.C.)

"Como los judíos estaban provocando continuos disturbios bajo la instigación de Christus, los expulsó de Roma."
SUETONIO, año 120
Vida de Claudio XXV

"El hombre que fue crucificado en Palestina por haber introducido este nuevo culto en el mundo... aún más, el primer legislador que ellos tuvieron les persuadió de que todos ellos eran hermanos unos de otros después de haber transgredido de una vez por todas negando los dioses griegos y adorando a aquel sofista crucificado y viviendo bajo sus leyes."
LUCIANO

"Los hice maldecir el nombre de Christus a lo cual no pude inducir a ningún cristiano."
PLINIO EL MENOR

"Ahora, había en ese tiempo un hombre sabio, Jesús, *si es que es lícito llamarle un hombre pues era hacedor de maravillas*, un maestro tal que los hombres recibían con agrado la verdad que les enseñaba. Atrajo así a muchos de los judíos *y de los gentiles. Él era el Cristo*, y cuando Pilato, *a sugerencia de los principales entre nosotros*, le condenó a ser crucificado, aquellos que le amaban desde el principio *no le olvidaron, pues se volvió a aparecer vivo entre ellos al tercer día, exactamente como los profetas lo habían anticipado* y cumpliendo otras diez mil cosas maravillosas respecto de su persona que también han sido pronunciadas. Y la secta de cristianos, llamada desde otro modo a causa de él, no ha sido extinguida hasta el presente."
FLAVIO JOSEFO
Antigüedades judías XVIII

¿Por qué falsificó la Iglesia al historiador Flavio Josefo?

En 1971 Shlomo Pines descubre en Londres (y la publica) una versión original en árabe de las *Antigüedades Judías* de don Flavio Josefo, perdida desde el siglo X y mencionada por el historiador árabe Agapius.

En esta versión NO aparecen las frases dudosas ("ÉL ERA EL CRISTO"..."A SUGERENCIA DE LOS PRINCIPALES ENTRE NOSOTROS"... Y otras), gracias a las cuales parecía que Josefo era el que aceptaba que Jesús era el Mesías y que había resucitado. Y otro detallito: en el texto que se conocía, NO aparecía una frase clave, que sí está en la versión encontrada por Pines: "CUENTAN ALGUNOS QUE...", mediante la cual Josefo se desligaba como autor de las opiniones ajenas. No era lógico que Flavio Josefo, judíoromano, pero NO cristiano, se expresara en esa forma de Jesús, como si él lo considerara también como el Mesías resucitado.

La Iglesia cambió mañosamente el texto para que Jesús apareciera como el Mesías, y para congraciarse con los romanos, echándoles la culpa a los judíos.

LAS ANTERIORES SON LAS ÚNICAS PRUEBAS HISTÓRICAS QUE HAY DE PARTE DE HISTORIADORES "CIVILES", NO RELIGIOSOS.
Y ALGUNAS SE CREE QUE PUDIERON SER ALTERADAS,COMO LA DE FLAVIO JOSEFO. LAS OTRAS "PRUEBAS" PROVIENEN DE LOS EVANGELIOS QUE, COMO VEREMOS, NO HAN RESULTADO MUY CONFIABLES QUE DIGAMOS...

13

¿Quién, cuándo y dónde escribió los Evangelios?

LA IGLESIA PRESENTA COMO LA PRUEBA MÁXIMA DE QUE JESÚS FUE EL MESÍAS Y DE SU DIVINIDAD LOS CUATRO EVANGELIOS, ADUCIENDO QUE FUERON ESCRITOS POR 4 APÓSTOLES INSPIRADOS POR DIOS... ¿ES CIERTO?

Fra Bartolomeo

Ninguno de los llamados cuatro evangelistas conoció a Jesús

...SE LOS ECHARON NOMÁS "DE OÍDAS"...

De los evangelios, baste decir que NO los escribió ni Jesús, ni NINGUNO de sus apóstoles. Hasta el año 363, que se llevó a cabo el Concilio de Laodicea, existían más de 80 evangelios, es decir, había más de 80 versiones de la vida y milagros de Jesucristo, y ninguno de ellos se había escrito en tiempos de Jesús, sino 50, 60 o 90 años después de su muerte, por gente que ni lo había conocido. Por tal motivo estaban llenos de contradicciones, leyendas y falsedades, pero aun así eran aceptados por los distintos grupos de cristianos como creíbles.

¿Cómo escogieron como "buenos" a los 4 Evangelios?

En Laodicea, las autoridades máximas del cristianismo -los obispos, que en un principio se elegían por las propias comunidades-, decidieron meter orden en aquel relajo de versiones diferentes y fijar cuáles eran los evangelios "buenos" y cuales eran puro cuento.
Decidieron entonces encargarle al mismísimo Espíritu Santo, quien por lo visto tenía otros poderes amén del de preñar doncellas, que con sus luces dijera cuáles eran los "buenos".
La misma Iglesia ha declarado en tiempos ya viejitos, que la selección se hizo colocando en un altar todos los 80 evangelios. Los que NO se cayeron al soplido del Espíritu Santo, fueron los escogidos como buenos. Hay otras versiones, pero ésta parece ser la más aceptada.
A los evangelios que sí se cayeron se les declaró "heréticos", es decir, que contienen herejías y en consecuencia fueron condenados en Laodicea, y hoy se les conoce como evangelios APÓCRIFOS.

15

¿Qué son los evangelios apócrifos?

• • • • • • • • •

COMO YA SE DIJO, LA IGLESIA HIZO QUE EL ESPÍRITU SANTO HICIERA LA SELECCIÓN DE LOS CUATRO EVANGELIOS. EL RESTO DE LOS QUE SE USABAN ANTES DEL CONCILIO FUERON DECLARADOS "APÓCRIFOS" Y HERÉTICOS, AUNQUE ERAN TAN FALSOS E INVENTADOS COMO LOS CUATRO QUE QUEDARON CO-MO "BUENOS".

Éstos son los más conocidos de los evangelios apócrifos

Los Evangelios apócrifos

PROTOEVANGELIO DE SANTIAGO
EVANGELIO SEGÚN MATÍAS
EVANGELIO DEL PSEUDO MATEO
ENSEÑANZAS DE POLICARPO
LIBRO DE LA NATIVIDAD DE MARÍA
ENSEÑANZAS DE IGNACIO
EVANGELIO DE TOMÁS
EVANGELIO ÁRABE DEL PSEUDO JUAN
ENSEÑANZAS DE CLEMENTE
EVANGELIO ÁRABE DE LA INFANCIA
CORRERÍAS DE LOS APÓSTOLES
HISTORIA DE JOSÉ EL CARPINTERO
EVANGELIO DE LOS EBIONITAS
APOCALIPSIS DE PEDRO
LA VENGANZA DEL SALVADOR
EVANGELIO DE LOS EGIPCIOS
EVANGELIO DE PEDRO
APOCALIPSIS DE PABLO
EVANGELIO DE NICODEMO
(O HECHOS DE PILATO)
ESCRITOS COMPLEMENTARIOS A LAS
ACTAS DE PILATO
EVANGELIO DE SAN FELIPE
TRÁNSITO DE LA BIENAV. VIRGEN MARIA
EVANGELIO DE SAN BERNABÉ
HECHOS DE PABLO
LIBRO DE LAS SENTENCIAS
EVANGELIO DE BARTOLOMÉ
EVANGELIO DE VALENTINO
CORRESPONDENCIA, APÓCRIFA ENTRE
JESÚS Y ABGARO, REY DE EDESA
LIBRO DE TACIANO
LIBROS DE S. JUAN EVANGELISTA
LIBRO DE AMMONIO
NARRACIÓN DEL PSEUDO JOSÉ DE ARIMATEA
LIBROS DE JUAN ARZOBISPO DE TESALÓNICA
(y así hasta completar 76...)

(Y CASI TODOS MÁS ANTIGUOS QUE LOS CUATRO...)

¿Cuál es el llamado QUINTO EVANGELIO?

Desde que la Iglesia inventó los Evangelios, los estudiosos se dieron cuenta de que Mateo (y Lucas, que le copió casi todo a Mateo), se habían basado en OTRO escritor, cuyo texto se había perdido. O que la Iglesia lo había hecho perdedizo...
Los estudiosos sólo habían hallado pequeños fragmentos de ese texto perdido al que bautizaron sencillamente como "Q", del alemán *QUELLE* que quiere decir "fuente".
Pero en diciembre de 1945, dos campesinos egipcios encontraron en Naj´Hammadi unos viejísimos manuscritos que resultaron ser cuatro evangelios gnósticos, considerados como las enseñanzas secretas de Jesús y sus discípulos Tomás y Juan.
Uno de ellos es *el Evangelio de Tomás*, el hermano gemelo de Jesús y es el que se sabe ya con certeza es el "Q", base del evangelio de Mateo. Es una recopilación sustancial de dichos de Jesús, mediante los cuales se comunicaba la sabiduría "secreta" del Maestro.
Para los interesados se informa que el texto completo de "Q" y los otros 3 evangelios gnósticos se encuentran en el libro editado por Grijalbo *"Las enseñanzas secretas de Jesús"*.
Gracias. De nada.

¿Hay algún libro "sagrado"?

Pues sólo que éste...
Desde hace siglos la pobre humanidad se ha visto en la necesidad de inventarse dioses para sentirse segura. Y dando un paso más adelante, creó dioses con los cuales tenía comunicación. No sólo hizo dioses a los que les pedía cosas -buenas cosechas, mujeres que lo quisieran, fuerza para derrotar al enemigo-, sino también hizo dioses que le mandaban decir cosas.
Esos comunicados divinos que llegaban al oído de algunos privilegiados y "elegidos" por los dioses, tomaron forma de libro y se convirtieron en "los libros sagrados". El Corán, los Vedas, la Biblia. Pero de sagrado no tienen nada. Son libros humanos y nada más.

Hornbook.

(PERO DIZQUE "INSPIRADOS" POR DIOS..)

¿Por qué atacan tanto a los judíos en los Evangelios?

(Todos los Evangelios fueron expurgados de judaísmo en el siglo II.)

Al escoger así el Espíritu Santo los 4 Evangelios, la Iglesia decidió ATRIBUIRLES su hechura a 4 de los apóstoles: Marcos, Lucas, Mateo y Juan. Un evangelio por cada uno de los 4 puntos cardinales, como recomendó San Irineo, y cuidando que su contenido no comprometiera a la madre Iglesia con Roma.

¿Cómo está eso ?
Sí pues. Todos los evangelios se habían escrito con base en la religión judía y habían sido hechos por judíos. En todos ellos aparecía el Imperio Romano como culpable directo de la muerte de Jesús.

Pero como daba la casualidad que Roma recién había destruido Jerusalem con todo y Templo (año 70) y estaba persiguiendo por todas partes (especialmente en Roma) a los judíos sobrevivientes del sofocado levantamiento contra el Imperio, no resultaba muy diplomático presentarla como una religión judía. ¡Y menos como seguidores del judío Jesús a quien los romanos había crucificado por sedicioso y alzado contra Roma! (Faltaba más...)
De modo que crearon unos evangelios antijudíos, donde el señor Jesús apareciera como un inofensivo predicador de amor y paz, a quien las autoridades religiosas JUDÍAS habían crucificado por blasfemo. Un Jesús que pudiera aparecer en los filmes de Holywood sin asustar a los espectadores, así fueran los mismos emperadores...

¿Por qué nada más CUATRO Evangelios, si se escribieron más?

quesque los otros los escribí yo...

Hay quien dice que fue por los 4 puntos cardinales, siguiendo el ejemplo de los egipcios que veneraban a Horus que tenía 4 hijos. Pero San Irineo pensó que debían ser cuatro: "Pues Dios está sentado en un lugar más elevado que los querubines y éstos tienen 4 formas" (SIC).
San Jerónimo, en cambio, señaló que "siendo 4 las horquillas que remataban los sostenes del Arca de la Alianza, 4 debían ser los Evangelios...". Y el obispo Teófilo de Antioquía agregó que no olvidaran que Lázaro había durado muerto 4 días.

San Cipriano, en cambio, apoyó lo de 4, pues "cuatro ríos regaban el Paraíso Terregal".
Todo lo anterior puede sonar a broma, pero fue cierto.
LA VERDADERA RAZÓN de que se hayan escogido sólo 4 evangelios de entre más de 60 que circulaban en ese tiempo, fue que había 4 grandes Iglesias o Comunidades y cada una tenía un evangelio diferente. Roma, Alejandría, Antioquía y Efeso.
La de Jerusalem había dejado de existir tras la Caída del Templo y la muerte de los Apóstoles crucificados por zelotas.

Además los Evangelios fueron escritos como una continuación del Antiguo Testamento

Adaptando al Nuevo las profecías de Antiguo, para que así don Jesús apareciera como el MESÍAS profetizado en la vieja Biblia hebrea que, de paso y como quien no quiere la cosa, adquiría la categoría de "obsoleta y apta sólo para judíos feos".
¡La NUEVA LEY como continuación y remate de la antigua LEY, aunque el mismo Jehová se la hubiera dictado a Moisés!
¡Jesús era nada menos que el Nuevo Moisés, el portador del Nuevo Mensaje Divino!
¡Y además, era Hijo de Dios Padre, que lo había mandado en misión especial a la pecadora Tierra para difundir la LEY nueva que anulaba la anterior!

COSA QUE NATURALMENTE NINGÚN JUDÍO SE CREYÓ...

ASÍ SE INVENTARON LOS 4 EVANGELIOS 4 PARA NO COMPROMETER A LA "NUEVA" RELIGIÓN CON LOS AMOS DE ROMA Y DEJAR COMO ASESINOS DE JESÚS A LOS JUDÍOS. CON NINGUNO DE LOS EVANGELIOS SE HA PODIDO PROBAR NADA SOBRE JESÚS: TODO LO QUE SE HA PODIDO SABER DE ÉL PROCEDE DE FUENTES AJENAS A ELLOS. Y LA MISMA IGLESIA YA HACE LA DISTINCIÓN ENTRE EL JESÚS "HISTÓRICO" Y "SU" JESÚS, EL JESÚS DE LA FE Y DEL FANATISMO.

¿Por qué no existen los manuscritos originales de los Evangelios?

• • • • • • • • • • • • • •

No existen los manuscritos ORIGINALES de ninguno de los Evangelios, ni de las Epístolas, por una muy sencilla razón: fueron falsificados, si es que alguna vez existieron.
Lo que conocemos son copias de copias de copias.
Y también llama la atención que ninguno de esos supuestos evangelios "auténticos" traiga el nombre, ni la firma de su autor, cosa verdaderamente inusual en aquellos tiempos.

. . . .

Es curioso al leer los Evangelios, ver cómo va cambiando la descripción de Jesús conforme corren las páginas.
Primero se le designa como HIJO DEL CARPINTERO, luego, HIJO DE DAVID, después PROFERTA Y SALVADOR, HIJO DE DIOS Y MESÍAS.
Y ya hasta el Concilio de Nicea como DIOS a secas.
¡ No somos nada, don Jesús !

. . . .

LOS 300 AÑOS TRANSCURRIDOS ENTRE LA MUERTE DE JESÚS Y LA ENTRONIZACIÓN DE LA IGLESIA COMO FAVORITA DE LOS ROMANOS, BASTARON PARA CREAR UNOS EVANGELIOS AL GUSTO DE ROMA.

El P. Juan Meslier, párroco de Etrepign y But, Champagne, en Francia, escribió:

PARA CREERLES A LOS EVANGELIOS SE NECESITA SABER:

**1. SI SUS AUTORES CONOCIERON A JESÚS,
2. SI LOS QUE REALMENTE LOS ESCRIBIERON ERAN PERSONAS DE PROBIDAD Y CREDIBILIDAD,
3. SI LOS HECHOS NARRADOS SON VERDADEROS Y FIELES A LA HISTORIA, y
4. SI LOS EVANGELIOS HAN SIDO RESPETADOS Y NO HAN SIDO FALSIFICADOS Y ADULTERADOS POR NADIE.**

BAH...

21

¿Quiénes fueron los autores de los 4 Evangelios?

● ●

EVANGELIO SEGÚN SAN MARCOS

EVANGELIO SEGÚN SAN MATEO

Escrito en Roma entre los años 75-80 d.C.,por Juan de Jerusalem,ayudante de S.Pablo e intérprete de Pedro. Obviamente su autor NO conoció siquiera a Jesús y el escrito se basa en los sermones de S.Pedro y opiniones de S.Pablo. El tal Juan nunca acabó su Evangelio, que fue completado años después por el romano Aristón.

Se le han encontrado muchas inexactitudes, imprecisiones y demasiado desconocimiento de la figura de Jesús y su vida.

Es el Evangelio que peor trata a San Pedro y se sospecha que San Pablo le metió mano con muy mala leche.

Escrito en Antioquía por un tal Mateo que NO era el discípulo de Jesús, ni lo conoció. En el texto habla de la destrucción del Templo (año 70)por lo que se cree fue escrito en los años 90s, copiando 600 versículos del de Marcos. El resto se cree fue escrito por algún seguidor de San Pablo, que NO era judío. En este Evangelio se nota la intención del autor de hacer aparecer a Jesús como el Mesías prometido en la Biblia, adaptando torpemente las profecías del Antiguo Testamento.

Se toma con muchas reservas, por querer hacer aparecer a Jesús como víctima de sus propios paisanos y correligionarios.

¿Por qué sige la Iglesia diciendo que los que hicieron los Evangelios eran Apóstoles?

EVANGELIO SEGÚN SAN LUCAS

El más antijudío y prorromano de los Evangelios, se cree fue hecho más de 100 años después de la muerte de Jesús.

Lucas o Lucano era médico e íntimo colaborador de S. Pablo y él mismo reconoce que tomó la información de muchas fuentes poco conocidas y de lo que le oía a Pablo. El Evangelio fue escrito para información y beneficio de don Teófilo, alto militar romano amigo de Pablo.

De sus 1149 versículos, 350 son de Marcos, 235 de Mateo y 548 suyos, es decir de Pablito.

Es el menos confiable de los cuatro Evangelios.

EVANGELIO SEGÚN SAN JUAN

Se dice que un Juan el Anciano, un griego cristiano de Efeso escribió lo que se conoce como Evangelio de San Juan, pero no fue el Apóstol querido. Escrito a fines del siglo I, se conoció hasta el año 190. El famoso Apocalipsis fue hecho por otra persona que murió loca y vagando por las calles. NO se recomienda su lectura...

¿Qué clase de loco escribió el Apocalipsis?

El Nuevo Testamento se cierra con un libro terrorífico que parece escrito por Osama Bin Laden u otro fundamentalista fanático. En el APOCALIPSIS se asoma otro Cristo; un Cristo vengador y torturador, en medio de visiones de destrucción, sangre y violencia. Dice la tradición que su autor, que NO es el Juan discípulo amado, acabó totalmente majareta vagando por las calles, perseguido por monstruos sobrenaturales y brujas huidas de algún aquelarre. El Apocalipsis no tiene nada que ver con el otro Jesús de amor y paz. Es un libro terrible cuya lectura ha vuelto literalmente locos a quienes tratan de entenderlo a la luz de la razón.

Se recomienda su lectura para asustar a los niños que no quieren dormirse a tiempo.

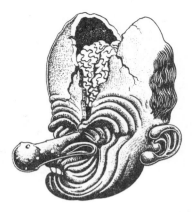

Muchos ven en él profecías del presunto fin del mundo, y con el tiempo el término "apocalíptico" ha terminado por ser sinónimo de "catastrófico", por una mala traducción: en griego la palabra APOCALIPSIS se traduce como "revelación".

Sus textos son marcadamente místico-esotéricos, lo que ha hecho que los aficionados a los "misterios" cabalísticos busquen en ellos claves y números secretos que no existen.

El APOCALIPSIS no encierra ningún secreto. Fue obra de algún cabalista medio loco, predecesor de Nostradamus. Y nadie se explica cómo fue aprobado para formar parte del llamado Nuevo Testamento...

PARA QUE TUVIERA SU PARTE DE MISTERIO ESOTÉRICO...

¿Qué contienen los Rollos del Mar Muerto?

(A partir de los Rollos hay que ver el Cristianismo con otra óptica. Lo que descubrieron los pastores palestinos puede ser el principio del fin de veinte siglos de mentiras piadosas...)

En uno de los Rollos del Mar Muerto, de los encontrados en la cueva Kuntillet Arjud, encontraron un extraño y caricaturesco dibujo que tiene sorprendidos a los expertos. Dos figuras bastante masculinas y una mujer en una silla, que nadie sabe a quiénes representan, aunque la inscripción se refiere a la esposa de alguien, que algunos creen es Yahvé.

Se localizaron más de 600 textos que datan de hace 2000 años, textos referentes a los Esenios, sus reglas, cantos, rituales, oraciones y un calendario "sólo para Esenios", pues no se regían por el año lunar judío. Otros textos corresponden al Antiguo Testamento y han aparecido también manuscritos con textos que se repiten en el Nuevo Testamento. Pero NO salió ningún Evangelio, salvo un pequeño fragmento del apócrifo de Tomás. De lo que ya no cabe la menor duda es que los Esenios también se oponían a Roma y se ha descubierto en las ruinas del monasterio esenio de Qumrán, una "fábrica" de armas (espadas, puñales y lanzas). También se sabe con certeza que buena parte de los textos evangélicos salieron de los textos esenios de los Rollos. Hay más "cristianismo" en ellos del que se esperaba.

Un pequeño detalle ha sorprendido a los expertos: Qumrán recibía también el nombre de DAMASCO, y algunos textos parecen referirse a un perseguidor de esenios... ¿Será Saulo Pablo?

¿Por qué no habla el Evangelio de los esenios?

Ahí tienen otra prueba de que los cuates que escribieron los Evangelios, como historiadores no daban una. Vamos, ni a periodistas de televisión llegaban...

Los esenios, secta judía que probablemente incluía a la secta de Qumran, fueron aniquilados en el año 70. La mayoría prefirió el martirio a la sumisión a Roma. Los que lograron escapar con vida se refugiaron en Pella, al este del río Jordán. Se hicieron llamar EBIONITAS y su memoria fue borrada del Nuevo Testamento, al igual que los esenios. Qumrán -donde se ha descubierto un taller de fabricación de armas blancas- fue arrasado por los romanos, y los que no escaparon fueron llevados a Roma como esclavos.
Los Esenios se autodenominaban "Hijos de la luz" y así los llama Jesús (Lucas 16: 1-9)

Jesús, como lo hacían los Esenios, pedía a quien quería seguirlo, que lo abandonaran todo (familia, dinero, propiedades, chavas), e igual hacía Juan el Bautista. Concluye uno que Juan y Jesús eran Esenios...

27

¿Hay algún escrito de Jesús?

¿Por qué trató de impedir la Iglesia que se conocieran los Rollos del Mar Muerto?

Es bastante curioso, pero no se conoce un solo papel escrito por Jesús. Ni un rengloncito, ni una simple letra. O no sabía escribir o ninguno de los que le rodeaban lo hacía. Porque, vea usted: los CUATRO Evangelios NO los escribieron los discípulos, ni alguien que lo hubiera tratado en esos días. ¡Qué misterio! Absurdo el asunto, pues si como dicen, Jesús vino a la Tierra en representación de su Padre Dios para dejar un mensaje nuevo de la voluntad divina, ¿por qué no se preocupó nadie, ni el Padre ni el Hijo ni los tales discípulos de que el mensaje, la nueva Ley, quedara claramente transmitida para todos?

Es una de las cosas más absurdas y difíciles de creer, igual que aquel episodio de la entrega a Moisés de las Tablas de la Ley de Jehová, que apenas un pequeño grupo de judíos vino a conocer. ¿Por qué?

No se acaba de entender todavía por qué no se dio a conocer esa Ley a todo el mundo civilizado... ¿No le huele al lector a tomada de pelo?

El Vaticano se hizo del 75% de los Rollos del Mar Muerto, por intermedio de un sacerdote dominico, director de la Escuela Bíblica de Jerusalem, el padre Roland De Vaux. Rabiosamente antisemita, De Vaux y otros sacerdotes dominicos controlaron a su antojo los manuscritos que se habían descubierto en 1947 en las famosas cuevas de Qumran, a la orilla del mar Muerto. Nadie podía tener acceso a ellos sin la autorización de los sacerdotes arqueólogos. Nadie los podía traducir antes que ellos, pese a que tras la Guerra de los Seis días, el grueso de manuscritos había pasado de ser controlado por Jordania, a ser propiedad del gobierno israelí.

Los lectores interesados en conocer al detalle lo que pasó con los Rollos, pueden consultar el libro *El escándalo de los Rollos del Mar Muerto* de Michael Baigent y Richard Leigh, ediciones Roca, para enterarse de la forma novelesca como el Vaticano trató de mantenerlos ocultos.

¡...UTA: YA NOS
OAYERON, SU
EXCELENTÍSIMA!

• • • • • • • • • • •

¿Por qué?
Bueno, lo que aparece en los su-
sodichos Rollos pone al descubierto cómo San Pablo y la Iglesia oficial tergiversaron, por sus
intereses, el mensaje y la figura
histórica de Jesucristo.
Lo que aparece en los Rollos NO
coincide con lo que inventó la
Iglesia hace 19 siglos y podría
echar abajo el negocio llamado
Cristianismo que ha permitido a
la pandilla mafiosa del Vaticano
sostenerse como "la única religión verdadera" durante todos
estos siglos.
Afortunadamente para la causa
de la Verdad, tras hollywooodes-
cas maniobras dignas de James
Bond, los Rollos lograron ser tra-
ducidos y publicados desde 1991,
en Londres, apareciendo algo
más de la punta del iceberg que
ha venido a demostrar lo que ya
muchos sospechaban:
LA IGLESIA INVENTÓ EL CRISTIA-
NISMO FALSIFICANDO A JESÚS.
Esperemos que pronto las traducciones de los Rollos también
se publiquen en español y nos
lleguen por acá.

Y es curioso que entre los manuscritos descubiertos, tanto
en el Alto Egipto como en las
cuevas del Mar Muerto, NO se
han encontrado ni un fragmento siquiera de ninguno de
los 4 Evangelios.

¿Los primeros cristianos eran de la secta de los esenios?

Al comparar los Rollos de Mar Muerto con los documentos de los primeros cristianos, se ha encotrado una asombrosa similitud entre la gente de la comunidad de Qumran en el mar Muerto, los esenios y los primeros cristianos que vivieron en Roma en los siglos I y II de nuestra Era. Ambas comunidades practicaban la comunidad de bienes, creían en un dios universal no exclusivo de los judíos, compartían la veneración de un Maestro asesinado por Roma, crucificado y resucitado, practicaban una moral cercana al ascetismo, negaban su participación en el ejército, no se casaban pero sí practicaban el sexo, compartían el trabajo y se negaban a adorar a otro dios o dioses que no fuera Jehová, rehusando su participación en ceremonias del Imperio.

Tras la caída de Jerusalem, muchos esenios emigraron a Roma, donde siguieron practicando su religión judía... con un nuevo elemento: el Maestro Jesús.

YA NADIE PONE EN DUDA QUE LA BASE IDEOLÓGICA DEL CRISTIANISMO FUE LA SECTA DE LOS ESENIOS A LA QUE PERTENECÍA JESÚS. PERO LA PREGUNTA QUE NOS HACEMOS ES: ¿POR QUÉ LA IGLESIA ABANDONÓ ESA IDEOLOGÍA Y SE VOLVIÓ IMPERIO SUPERPODEROSO?

Hasta los franciscanos nos volvimos ricos...

¿Cuáles son los evangelios gnósticos?

En diciembre de 1945 un campesino egipcio encontró en Nag Hammadi, en el Alto Egipto, una jarra de barro de un metro de altura, enterrada en los campos de su familia. Con cierto temor la rompió, saliendo de su interior 13 papiros encuadernados en cuero. ¡No era oro, como don Muhammad Alí imaginaba...! Quemó algunos para calentarse y los que quedaban se los regaló a un rabino que, con ayuda de un amigo de El Cairo, tradujo uno de los papiros que resultó ser un Evangelio... escrito ni más ni menos que por el hermano mellizo de Jesús, el tal Judas Tomás. ¡Qué descubrimiento! Los papiros de Nag Hammadi resultaron ser 52 textos escritos en copto, 52 textos de evangelios cristianos primitivos de más de 1500 años de antigüedad. Copias en copto de evangelios escritos en el siglo I en griego, de los que no se sabía nada, por haber sido destruidos por la Iglesia al ser considerados como "apócrifos" cuando se hizo la elección de los "cuatro buenos". Lo interesante de los manuscritos, además de su antigüedad, es que en ellos se han encontrado las numerosas discrepancias que separaban a los cristianos en torno a Jesús y sus enseñanzas. Cuando los ortodoxos de la línea de San Pablo declararon "heréticos" a esos evangelios (y a quienes creían en ellos), los desaparecieron. Sin pensar que algún día iban a resucitar y poner en aprietos a sus sucesores vaticanos...

¿Cuáles son las famosas profecías de la vieja Biblia?

EL ANTIGUO TESTA-MENTO CONTIENE VARIOS LIBROS ATRI-BUIDOS A LOS PROFETAS.

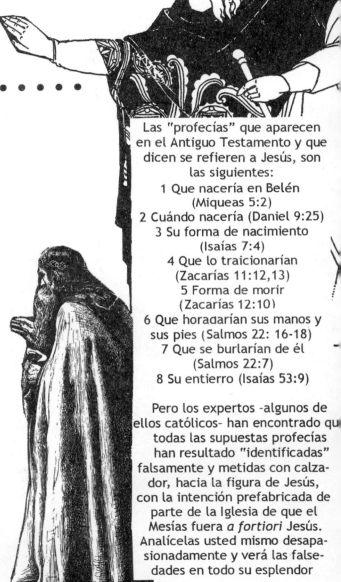

LOS TALES "PROFETAS" ERAN POSIBLEMENTE SA-CERDOTES (RABINOS) QUE ESCRIBÍAN SUS SUEÑOS O VISIONES, O NARRABAN SUS EX-PERIENCIAS EN UNA FORMA LITERARIA QUE PASÓ A LLAMAR-SE COMO "PROFECÍA" PARA DIFERENCIARLA DE OTRAS FORMAS DE LA LITERATURA HEBREO-BÍBLICA.

OTROS TEXTOS DE TIPO PROFÉTICO SE ASOMAN EN FORMA DE SALMOS, QUE GENERALMENTE SE CANTAN DURANTE LAS CEREMONIAS DE LAS SINAGOGAS.

Las "profecías" que aparecen en el Antiguo Testamento y que dicen se refieren a Jesús, son las siguientes:
1 Que nacería en Belén (Miqueas 5:2)
2 Cuándo nacería (Daniel 9:25)
3 Su forma de nacimiento (Isaías 7:4)
4 Que lo traicionarían (Zacarías 11:12,13)
5 Forma de morir (Zacarías 12:10)
6 Que horadarían sus manos y sus pies (Salmos 22: 16-18)
7 Que se burlarían de él (Salmos 22:7)
8 Su entierro (Isaías 53:9)

Pero los expertos -algunos de ellos católicos- han encontrado que todas las supuestas profecías han resultado "identificadas" falsamente y metidas con calzador, hacia la figura de Jesús, con la intención prefabricada de parte de la Iglesia de que el Mesías fuera *a fortiori* Jesús. Analícelas usted mismo desapasionadamente y verá las false-dades en todo su esplendor

¿De dónde salen las tales "PROFECÍAS"?

Hay que tomar en cuenta cuándo y en qué condiciones se escribieron esos viejos libros. La mayoría de los textos proféticos se hicieron cuando los judíos estaban pasando las de Caín en el exilio de Babilonia o cuando la tierra prometida había caído en manos de infieles adoradores de ídolos.

Se escribían esos textos para animar al pueblo exiliado lejos de su tierra y mantener vivas sus esperanzas de un futuro mejor. Más que profecías, parecían promesas electorales.

Mañosamente, la Iglesia se apropió de muchos de esos escritos proféticos, para elaborar con ellos el llamado Nuevo Testamento, tratando de demostrar que eran profecías referentes a Jesús. Que, como Dios había inspirado a esos profetas para escribir sus textos, deberían tomarse como "la palabra de Dios" que así anunciaba la llegada a futuro de su Hijo...

....

El fin justifica los medios, hijitos.

ES DECIR, LA IGLESIA ECHÓ MANO DE LAS VIEJAS "PROMESAS" DE DIOS PUESTAS EN BOCA DE LOS PROFETAS PARA "DEMOSTRAR" QUE ESAS PROMESAS DIVINAS SE ESTABAN CUMPLIENDO EN LA FIGURA DE JESUCRISTO...

Sacadas de su contexto y debidamente manipuladas, las profecías del viejo libro "parecen" estar dedicadas a Jesús como el Mesías esperado durante siglos.

Sin embargo, analizadas con la lógica de la razón y la historia, resultan ser burdas tomadas de pelo para autentificar a Jesús como lo que NO fue.

La Iglesia convirtió en profecías mesiánicas textos que no tenían ninguna carga profética y que se referían a cosas que pasaron en aquellos tiempos. *33*

Aquí, ni siquiera se refieren → al pueblo donde nació Jesús: ¡es otro Belén!

Éstas son algunas de las PROFECÍAS que aparecen en la Biblia (Antiguo Testamento) y que fueron tomadas para elaborar los Evangelios con el mayor descaro.
Chéquelas una por una, comparándolas con lo escrito en los Evangelios.

Y TÚ, OH <u>BELÉN EFRATA</u>, TÚ ERES UNA CIUDAD PEQUEÑA RESPECTO DE LAS PRINCIPALES CIUDADES DE JUDÁ, PERO DE TI VENDRÁ EL QUE HA DE SER DOMINADOR DE ISRAEL.
Miqueas 5:2

Y MIRAD QUE VIENE EL TIEMPO, DICE EL SEÑOR, EN QUE YO HARÉ NACER <u>DE DAVID UN VÁSTAGO</u> JUSTO, Y UNA RAMA DE ESA CASA LLEVARÁ FRUTO Y DE ESE FRUTO <u>PROCEDERÁ EL MESÍAS.</u>
Jeremías 23:5

PUES HA NACIDO UN PARVULITO ENTRE NOSOTROS Y SE NOS HA DADO UN HIJO EL CUAL LLEVA SOBRE SUS HOMBROS EL PRINCIPADO Y TENDRÁ POR NOMBRE EL ADMIRABLE, EL CONSEJERO, DIOS, EL FUERTE, EL PADRE DEL SIGLO VENIDERO, EL PRÍNCIPE DE LA PAZ.
Isaías 9:27

SALDRÁ ESTRELLA DE JACOB Y LEVANTARÁ EL CETRO DE ISRAEL.
Números 24:17

HE AQUÍ QUE LA VIRGEN EMBARAZADA DA A LUZ, Y LE LLAMA EMMANUEL. Y SE ALIMENTARÁ DE LECHE Y MIEL, HASTA QUE SEPA DESECHAR LO MALO Y ELEGIR LO BUENO..(...), PERO ANTES LA TIERRA POR LA CUAL TEMES DE ESOS DOS REYES, SERÁ DEVASTADA. Y HARÁ VENIR YAVEH SOBRE TI, SOBRE TU PUEBLO Y SOBRE LA CASA DE TU PADRE DÍAS CUALES NUNCA VINIERON DESDE QUE EFRAÍM SE SEPARÓ DE JUDÁ.
Isaías 7:14-17

Como puede ver el avisado lector, el abusado evangelista toma del texto de don Isaías lo que le conviene para atribuírselo a Jesús, siendo que estaba dedicado al entonces rey Acaz.

TODOS LOS REYES SE POSTRARÁN ANTE ÉL; TODOS LOS REYES LE SERVIRÁN.
Salmos 71:10-11

Y ANDARÁN LAS NACIONES A TU LUZ Y LOS REYES AL RESPLANDOR DE TU NACIMIENTO.
Isaías 60:3

¡AH HIJA DE SIÓN!
REGOCÍJATE Y SALTA
DE JÚBILO, OH HIJA
DE JERUSALEM, HE
AQUÍ QUE VENDRÁ TU
REY EL JUSTO, EL
SALVADOR; ÉL VEN-
DRÁ POBRE Y MONTA-
DO EN UNA ASNA Y
SU POLLINO.
Zacarías 9:9

Y ELLOS ME PESARON
30 SICLOS DE PLATA
POR MI PAGA (...) TO-
MÉ PUES LOS 30 SI-
CLOS DE PLATA Y LOS
ECHÉ EN LA CASA
DEL SEÑOR.
Zacarías 11:12-13

UN HOMBRE CON
QUIEN VIVÍA YO EN
DULCE PAZ, DE QUIEN
YO ME FIABA, HA UR-
DIDO UNA GRAN
TRAICIÓN CONTRA MÍ
Salmos 41:10

LOS CUALES, AL CON-
JURARSE CONTRA MÍ
TRAMARON ENTRE
ELLOS QUITARME LA
VIDA.
Salmos 31:3

CONDUCIDO SERÁ A
LA MUERTE COMO VA
LA OVEJA AL MATA-
DERO, Y GUARDARÁ
SILENCIO SIN SIQUIE-
RA ABRIR LA BOCA.
Isaías 53:7

De estas profecías
sacaron todo: la
Virgen María, la
estrella de Belén,
los dizque "reyes
magos", la triunfal
entrada a Jerusa-
lem a bordo de un
borrico, la supuesta
traición de Judas, la
Pasión y hasta las
últimas palabras de
Jesús en la cruz.
Un buen trabajo...

35

ENTREGUÉ MIS ES-
PALDAS A LOS QUE
ME AZOTABAN Y MIS
MEJILLAS A LOS QUE
MESABAN MI BARBA;
NO RETIRÉ EL ROS-
TRO DE LOS QUE ME
ESCARNECÍAN Y ES-
CUPÍAN.
Isaías 50:6

PRESENTÁRONME
HIEL PARA ALIMENTO
MÍO Y EN MEDIO DE
MI SED ME DIERON A
BEBER VINAGRE.
Salmos 69:2

LAVARÉ MIS MANOS
EN COMPAÑÍA DE LOS
INOCENTES Y RODEA-
RÉ SEÑOR TU ALTAR.
Salmos 26:6

OH DIOS MÍO, ¿ POR
QUÉ ME HAS
ABANDONADO ?
Salmos 22:2

EN TUS MANOS ENCO-
MIENDO MI ESPIRITU
Salmo 31:6

SUCEDERÁ EN AQUEL
DÍA, DICE EL SEÑOR,
QUE EL SOL SE PON-
DRÁ AL MEDIODÍA Y
HARÉ QUE LA TIERRA
SE CUBRA DE TINIE-
BLAS EN LA MAYOR
PARTE DEL DÍA.
Amos 8:9

Del Antiguo Testamento salió casi íntegro el Nuevo. Las treinta monedas, la purificación del Templo, el silencio de Jesús ante Pilato y el Sanedrín, la plebe que exige su muerte, la flagelación y escarnio, la hiel y el vinagre, la corona de espinas, el momento de su muerte, la falsa matanza de los escuincles inocentes, el regreso de Egipto, la pretendida resurrección...¡todo! Con justa razón los judíos, que se sabían de memoria su Biblia, siempre han calificado a su paisano Jesús como una ingeniosa invención de la Iglesia romana...

SE HAN OÍDO ALLÁ EN LO ALTO VOCES DE LAMENTOS, DE LUTO Y DE GEMIDOS, Y SON DE RAQUEL QUE LLORA A SUS HIJOS, NI QUIERE ADMITIR CONSUELO EN ORDEN A SU MUERTE, VISTO QUE YA NO EXISTEN.
Jeremías 31:15

ES MALDITO DE DIOS EL QUE ESTÁ COLGADO DE UN MADERO.
Deuteronomio 21:23

HE AQUÍ QUE VENÍA ENTRE LAS NUBES DEL CIELO UNO QUE PARECÍA EL HIJO DEL HOMBRE (...) EL SEÑOR DIJO A MI SEÑOR: SIÉNTATE A MI DIESTRA.
Daniel 7:13
Salmos 110:1

PORQUE MI CASA SERÁ LLAMADA CASA DE ORACIÓN PARA TODOS LOS PUEBLOS.
Isaías 56:7

HE AQUÍ QUE HE HALLADO UNA PIEDRA SÓLIDA SOBRE LA QUE CONSTRUIRÉ Y PONDRÉ LAS BASES DEL MUNDO.
Números 23:9

← de aquí sacaron lo de san Pedro...

¿Por qué la Iglesia falsificó la Biblia?

¡Y ESTA "PROFECÍA" POR QUÉ NO LA TOMARON EN CUENTA?

En mi tierra a eso se le llama falsificación de la verdad, por no llamarlo mentira descarada.

37

¿Por qué se contradicen tanto los Evangelios?

Las contradicciones entre los Cuatro Evangelios se cuentan por miles. Un loco investigador llegó a contar más de 150 mil contradicciones. Aquí van unas cuantas para no atormentarnos.

HUIDA A EGIPTO

Mateo dice que José y María huyeron enseguida a Egipto. Lucas que estuvieron 6 semanas en Belén y luego se fueron a vivir a Nazareth. No menciona ni la Huida, ni se acuerda de Herodes y su matanza. Juan ni siquiera se ocupa del nacimiento e infancia de Jesús. Ni Marcos.

VISITA A JERUSALEM

Mateo, Marcos y Lucas afirman que Jesús fue 3 o 4 veces a Jerusalem, mientras Juan dice que sólo fue una.

VIDA PÚBLICA

Juan dice que la vida pública de Jesús duró más de 3 años, pero Mateo lo contradice: sólo duró 3 semanas.

DISCÍPULOS

Juan dice que Jesús captó a sus discípulos en la orilla del río Jordán. Mateo, Marcos y Lucas, que en el mar de Galilea, bastante separados el uno del otro.

APÓSTOLES

Mateo enlista a 12 apóstoles, PERO NO A LUCAS. Lo mismo Marcos y Juan. Éste sólo cuenta a SEIS apóstoles.

POSTBAUTISMO

Juan afirma que después de ser bautizado Jesús se fue a Galilea a hacer milagros. No habla de ningún ayuno de 40 días. Los otros tres dicen que se retiró a ayunar.

ÚLTIMA CENA

Juan habla de la lavada de pies y de un largo discurso en la Última Cena. Los otros tres ni lo mencionan, pero sí dicen que ahí instituyó el sacramento de la comunión que Juan olvida mencionar.

BESO DE JUDAS

Juan no habla del Beso de Judas, pero sí lo mencionan Mateo, Marcos y Lucas. Y sobre el mismo Judas, según Mateo, se suicidó; Marcos no dice nada y Lucas dice que tuvo un accidente. Juan no dice ni media palabra.

MILAGROS

De los milagros de Jesús, a Juan "se le pasa" mencionar 27 que mencionan los otros tres, y en cambio habla de 6 que a los otros "se les pasaron".

....

JOSÉ DE ARIMATEA

De la resurrección, episodio fundamental para "demostrar" la divinidad de Jesús, hay mil contradicciones: Juan y Mateo señalan a José de Arimatea como discípulo de Jesús. Marcos y Lucas dicen que don José era un ilustre consejero del Sanedrín.

....

SEPULCRO

Del sepulcro, Mateo dice que era el sepulcro familiar de José. Marcos, que el cuerpo fue depositado en un monumento cavado en la roca, igual que el copión Lucas, mientras Juan dice que lo depositaron en un sepulcro nuevo que había en un huerto. Pero nadie dice que al crucificado lo echaban a la fosa común donde se lo devoraban los perros y las aves de rapiña.

....

RESURRECCIÓN

Sólo Mateo habla de un terremoto al descubrir María Magdalena el sepulcro vacío y de un ángel que removió la piedra del sepulcro. Los otros 3 ni los mencionan.

....

SANTAS MUJERES

Según Juanito, sólo fue al sepulcro María Magdalena. Para Mateo, sólo fueron al sepulcro las dos Marías. En Marcos ya encontramos a una tercera, Salomé. Lucas dice que fueron 3, Magdalena, María y Juana, pero añade "y las demás que estaban con ellas". Un mitin...

....

LOS ÁNGELES

Para Mateo, en el sepulcro solo había un ángel. Marcos no le vio las alas y dice que era un joven. Lucas dice también que eran dos hombres y Juan afirma que eran DOS ángeles vestidos de blanco ...y el propio Jesús que se le aparece a María Magdalena, que NO lo reconoce.

....

APARICIONES

Sobre las "apariciones" a los discípulos hay un verdadero relajo: a unos se les aparece en Jerusalem, mientras que a los mismos, según otro evangelista, los asusta en Galilea en un monte; aparición que otro ubica en una casa donde come con ellos. ¿Cuántos? Uno dice que sólo eran dos, otro que siete, otro que ocho y Lucas se avienta diciendo que eran "once y los otros".

....

SUBIDA A LOS CIELOS

De la subida de Jesús a los Cielos, Mateo no dice nada. Marcos, que fue levantado de una sala de Galilea; Lucas dice que es levantado en campo abierto cerca de Betania. Y a Juan se le olvidó mencionarlo. ¡Qué lío!

....

LOS EVANGELIOS SE ES-
CRIBIERON DESPUÉS
QUE LOS CRISTIANOS
ESTABAN DIVIDIDOS EN
FACCIONES Y SECTAS,
POR LO QUE SE HA
COMPROBADO QUE
FUERON EDITADOS PA-
RA PROPAGAR LO QUE
CADA FACCIÓN CREÍA,
DE ACUERDO A SUS
INTERESES POLÍTICOS.
No hay pues ninguna
inspiración divina: cada
secta adulteró a su
gusto la figura de
Cristo para quedar
bien con Roma y culpar
a los judíos.

YA ESE PEQUEÑO
DETALLE DE QUE
LOS EVANGELIOS
NO FUERON
ESCRITOS POR
NINGUNO DE LOS
APÓSTOLES, NOS
PONE A PENSAR
SOBRE LA
AUTENTICIDAD
Y CREDIBILIDAD
DE LOS MISMOS.

¿EDITADOS?
¿DESDE CUANDO
DIOS NECESITA
UN EDITOR?

¿Qué día nació realmente Jesús?

....

¿Dónde nace Jesús?

● ● ● ● ● ● ● ● ● ● ● ● ● ● ● ● ● ●

Y PEOR RESULTA, SI COMO DICEN, ESTÁN LLENOS DE ERRORES, CONTRADICCIONES Y FALSEDADES DE PRINCIPIO A FIN. DESDE EL NACIMIENTO DE JESÚS HASTA SU MUERTE. VAMOS A VER PASO A PASO DÓNDE ESTÁN LAS PIADOSAS MENTIROTAS...

TODO LO QUE SE DICE EN LOS EVANGELIOS SOBRE EL NACIMIENTO DE JESÚS **HA** RESULTADO FALSO:

JESÚS NO NACIÓ NI EL DÍA NI EL AÑO QUE DICEN

Se ha demostrado ya que la verdadera fecha fue 4 años antes de Cristo. Se fijó como día de su nacimiento el 25 de diciembre por dos razones:
1) las fiestas paganas del solsticio de invierno (*Sol Invictus*) se celebraban ese día en todo el Imperio romano. En Egipto eran el 6 de enero.
2) los judíos celebraban la fiesta de las luces (Chanukah, celebración de la liberación de Israel del dominio de Antíoco de Siria) en la semana que termina por el 25 de diciembre.

¿Mentiras en los Santos Evangelios? No la chinguen...

....

NO HUBO NINGÚN CENSO

Marcos dice en su Evangelio que Jesús nació en Nazareth, pero los otros dos, Mateo & Lucas, lo hacen nacer en Belén, debido a que por el Censo tenían que estar en el lugar donde había nacido el padre. Si así fuera, ¿por qué no fue José solo a Belén sin exponer a la embarazada a los riesgos de un viaje?
¡¡¡PERO LO MÁS CURIOSO DEL ASUNTO ES QUE NO HUBO CENSO EN JUDEA SINO HASTA SEIS AÑOS DESPUÉS DEL NACIMIENTO DE JESUCRISTO!!!
REPETIMOS:
¡ NO HUBO CENSO SINO HASTA 6 AÑOS DESPUÉS!

NO HUBO TAL MATANZA DE LOS INOCENTES

La historia ha demostrado la falsedad absoluta de la pretendida matanza con un solo dato: HERODES EL GRANDE YA ESTABA MUERTO CUANDO NACIÓ JESÚS.

42

¿De qué huyeron a Egipto Jesús y su familia, si nadie los perseguía?

ADEMÁS, NINGÚN HISTORIADOR HABLA DE NINGUNA MATANZA DE NIÑOS TAN TREMENDA

Históricamente no se sabe de ninguna matanza de inocentes niños en Galilea o Judea. No hubo tal, así que habría ya que descartar que la Sagrada Familia haya huido a Egipto por eso.

Suele pasar que la gente no tenga con qué pagar sus deudas y se escape. Porque Herodes sí mató a unos jóvenes, pero eran sus hijos Alejandro y Aristóbulo porque los muy canijos conjuraron contra él para quitarle el trono (año 7). Y tras matarlos mandó ejecutar a 300 de sus seguidores en Jericó. Pero eso de la matanza de bebés es OTRO piadoso cuento de los diz-que Santos Evangelios.

¡Qué cosas, monseñor! ¿En qué va a creer ahora uno?

¡YA NI EN EL *SELECCIONES*, COÑO!

43

> Las piadosas mentiras y falsedades del nacimiento milgroso de Jesús persisten siglos después, convertidas en fiestas de lo más pagano y consumista...

JESÚS NO NACIÓ EN NINGÚN PESEBRE

La historia ha demostrado que la madre de Jesús, Miriam, era de familia acomodada, con parientes en Nazareth y Belén, y que sería un absurdo creer que no tenían un lugar decente en donde dar a luz.

(¿Y cómo iba Dios a permitir que su hijo naciera en un pesebre rodeado de animales y en las peores condiciones de higiene?)

¡Además, el mismo evangelista Mateo dice claramente que nació en una CASA...!

¿Por qué entonces inventar todo ese cuento del pesebre y los pastorcitos?

Los primeros "nacimientos" en un pesebre aparecieron en Italia en 1223 y se le atribuyen a S. Francisco de Asís, lo que suena como piadosa leyenda.

JESÚS NO NACIÓ EN BELÉN

Otra vez vemos cómo los tales evangelistas quieren hacer nacer a Jesús en un lugar "profetizado" por la Biblia:

"pero tú, Belén Efrata, pequeña para estar entre las familias de Judá, de ti saldrá el que será Señor en Israel".

Pero, ¿cómo mover a doña María de Nazareth, donde se dice que vivía, a Belén, y más estando embarazada? Ah, pues inventando un CENSO que los obligaba a trasladarse a Belén...

JESÚS NO NACIÓ DE NINGUNA VIRGEN EMBARAZADA POR NINGÚN ESPÍRITU SANTO

En hebreo la palabra BETULAH significa "virgen", mientras que ALMAH quiere decir "adolescente", que es la que utilizó Isaías en su profecía: *"HE AQUÍ QUE LA JOVEN CONCEBIRÁ Y DARÁ A LUZ UN HIJO Y LO LLAMARÁ EMMANUEL."* (No Jesús, conste...)

En ese texto Isaías se refiere al nacimiento del rey Ezequías, que vivió 700 años antes de que naciera Jesús. Como ven, eso de que profetiza el nacimiento del niño Jesús, es una verdadera vacilada. Lo único cierto es que María (Miriam es el nombre correcto) SÍ era virgen, como cualquier mujer ANTES de tener relaciones.

Otro curioso detalle es que los mismos Evangelios hablan de que, tras el divino parto, María fue al Templo a PURIFICARSE, como lo hacían todas las muje-

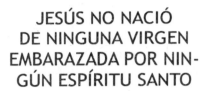

res judías que habían parido "con pecado". Si María no había parido normalmente, ¿por qué tenía que purificar su cuerpo? Los Evangelios tratan de demostrar a fuerzas que Jesús era el profetizado por Isaías y que iba a nacer de una VIRGEN para convertirse así en el Mesías esperado por Israel.

La Iglesia no quiere reconocer esa realidad, ni el error en la traducción de la profecía de don Isaías, porque se le viene abajo el teatrito y el negocio de la Virgen María. ¡Y DE TODAS LAS VÍRGENES QUE SE HAN DIZQUE APARECIDO EN EL CURSO DE LOS AÑOS!

45

¿De dónde salieron los nombres de los 3 Reyes Magos?

¿Cómo iba una estrella a indicar con precisión un establo o un pueblito?

No hubo los tales Reyes Magos, ni la tal Estrella

Otra vez la "profecía" de Isaías *"y andarán las naciones a tu LUZ y los REYES al resplandor de tu nacimiento"*; *"saldrá ESTRELLA de Jacob y levantará el cetro de Israel"*...
El Evangelio habla de unos "hombres sabios procedentes de Oriente. Luego le añadieron lo de REYES y luego lo de MAGOS, y alguien les inventó nombres, biografías y ¡hasta reliquias, que se veneran en Colonia!

De la Estrella, sólo Mateo la menciona, mientras los otros 3 evangelistas, por pena, ni la nombran: ¿CÓMO HABLAR DE UNA ESTRELLA QUE SE MUEVE E INDICA CON PRECISIÓN UN PEQUE-ÑO ESTABLO DE UN PEQUEÑO PUEBLO?
Algunos "investigadores" han llagado a afirmar que la estrella ¡era un platillo volador!

BUENO, SI LO DIJERAN LOS EVANGELIOS HABRÍA QUE CREERLO, ¿NO?

46

OTRA "PROFECÍA" DE DONDE SACARON LO DE LOS REYES: *"TODOS LOS REYES SE POSTRARÁN ANTE ÉL; TODAS LAS NACIONES LE SERVIRÁN".* (Salmos 71:10,11)

Los romanos celebraban el 25 de diciembre, precisamente el Solsticio de Invierno, dedicando sus ceremonias al Sol. Para congraciarse más con Roma, la Iglesia tomó la celebración dedicándola al Nacimiento del Señor, el Nuevo Sol. Y todos tan contentos...

El cristianismo le robó al paganismo las SATURNALIAS romanas, y curiosamente ahora las navidades cristianas son sólo una celebración pagana y consumista, con gran alegría de los comerciantes judíos.

(Sobre todo los comerciantes judíos, gulp.)

47

¿De dónde sacan al Espíritu Santo?

En cuanto al famoso Espíritu Santo, es curiosísimo que, siendo Dios, nunca se hubiera hablado de él en la Biblia de los judíos que, como todos saben, adoraban a UN SOLO DIOS. ¿De dónde lo sacaron?

¿Por qué se tardó tanto Dios en tener un hijo?

Si hubiera congruencia y lógica en las enseñanzas de la Iglesia, deberían declarar obsoleta la religión católica.

¿O quién se cree, en pleno siglo XXI, que el señor Jehová se pasó millones de años soltero, y de repente -no sabemos por qué-, se decide a tener un hijo y mandarlo a morirse por acá?

O sea que se pasó millones de años siendo el ÚNICO DIOS y de repente se hace acompañar en el gobierno celestial por otros DOS DIOSES que nadie conocía.

¿Entonces, las Leyes que dio a la humanidad vía Moisés valieron gorro? ¿Y para qué tenía que mandar a su Hijo con nuevas leyes, pudiendo traerlas él mismo como lo hizo antes?

De veras que para creer lo que predican las iglesias hay que ser muy creído. O muy pendejo, aunque se oiga más feo...

¿El Espíritu Santo ha embarazado a otras mujeres?

{

Sin llamarlo Espíritu Santo, en la Biblia aparecen 3 mujeres milagrosamente embarazadas, pese a su edad: Sara, esposa de don Abraham y las madres del profeta Samuel y de Sansón.

¿Dios ha tenido otros hijos?

Es otro de los misterios celestiales. Si tomamos en cuenta lo del primer hijo logrado con ayuda del Espíritu Santo que descendió sobre la cándida María y del que no se supo casi (¡tamaño acontecimiento y no se dio a conocer al mundo!), podemos suponer que Jehová ha tenido otros hijos o hijas- en algún otro pueblito escondido de Palestina o chance de Bolivia.

La neta es que no se sabe. Para esas cosas parece que en el Reino de los Cielos son un tanto reservados.

49

¿Por qué nadie sabía que había nacido un Hijo de Dios en Palestina?

¿Jesús era hijo bastardo?

Pues porque no le avisaron a nadie, simplemente. La gran debilidad de ese argumento en que basó la Iglesia su pretensión de contar nada menos que con un HIJO DE DIOS para crear una nueva religión, es su absoluta falta de lógica.

¿Cómo iba a ser posible que todo un Dios Todopoderoso mandara a la Tierra a un Hijo suyo sin darlo a conocer por todos los medios posibles a todos los pueblos de la Tierra?

¡Imposible! Hacerlo nacer casi a escondidas en una aldea de uno de los pueblos más atrasados del mundo, no tiene sentido ni razón de ser. Es ilógico, absurdo y jalado de los pelos.

En el Evangelio de Mateo (¿por qué "San" Mateo) se dice:

"El nacimiento de Jesús fue así: estando DESPOSADA María su madre con José, ANTES DE QUE SE JUNTASEN se halló que había CONCEBIDO por el Espíritu Santo. José su marido, como era justo y NO QUERÍA INFAMARLA, quiso dejarla secretamente..." (Mat. 1:18).

Y el mismo Mateo afirma:

"...PERO NO LA CONOCIÓ hasta que dio a luz a su hijo PRIMOGÉNITO y le puso por nombre Jesús" (Mat. 1:25).

Lo que significa, si no nos fallan las matemáticas, que antes de que José se acostara con María, (en lenguaje bíblico tener rela-

¿Por qué Jesús se llevaba tan mal con su madre?

¿CUAL QUE LLEGO TAN TARDE, JEFA? ANDABA HACIENDO MILAGROS...

• • • • • • • • • • • • •

ciones sexuales se decía "conocer" a la mujer), María YA estaba esperando. Pero como José era buena onda, no la denunció como ADÚLTERA, o la hubieran lapidado.

Es decir -agárrense-, que Jesús era HIJO NATURAL o, en lenguaje más popular, BASTARDO.

En el Evangelio de Juan, lo dice claramente: que los fariseos le achacaban que NO TENÍA PADRE que era hijo de la fornicación...

Cuando los judíos (y la Biblia) se referían a alguien, lo llamaban como "hijo de..." (Josué, hijo de Caleb; Rubén, hijo de Jacob), EXCEPTO cuando el susodicho era hijo natural, que es cuando usaban el nombre de la madre: "¿NO ES ÉSTE EL CARPINTERO, HIJO DE MARÍA?", como lo nombra Marcos...

El hecho de ser BASTARDO nos explicaría perfectamente por qué Jesús NO se llevaba muy bien que digamos con su madre, al grado de que NUNCA SE REFIERE A ELLA COMO "MADRE", sino que sólo la llama "mujer", como se puede comprobar en los Evangelios, en las Bodas de Canaan, en la Cruz, etc.

El asunto está clarísimo: antes de que José hiciera el amor con María, descubrió que NO SÓLO NO ERA VIRGEN, sino que de pilón ¡¡¡ESTABA EMBARAZA-DA...!!! (y QUE ADEMÁS ÉL NO ERA EL PADRE, PUES "NO LA HABÍA CONOCIDO"...).

Y la palabra "primogénito" se refiere, como saben todos, al PRIMER hijo del matrimonio.

¿Quién fue entonces el verdadero padre...?

¡AY, MAMÁ...!

51

NO SE ESCANDALICE EL LECTOR QUE SE CONSIDERA CRISTIANO POR LO QUE SIGUE A CONTINUACIÓN: ESTÁ BASADO EN DATOS HISTÓRICOS Y SERIESÍSIMAS INVESTIGACIONES.

AQUÍ ENTRA LA HISTORIA Y LA INVESTIGACIÓN QUE HIZO POR MÁS DE QUINCE AÑOS Robert Ambelain, **RELACIONANDO A JESÚS CON EL MISTERIO DE LOS TEMPLARIOS Y CON EL FUNDADOR DE LOS ZELOTES: JUDAS DE GAMALA, llamado bien JUDAS BAR-EZEQUÍAS. ENTÉRESE:**

En la genealogía del Rey David, el de las Mañanitas, se asoma entre los hijos de Ezequías un tal JUDAS BAR-EZEQUÍAS, que se habría casado con una tal María, hija de Joaquín y Ana. (BAR significa "hijo de".) Eso significaría, ni más ni menos, que EL VERDADERO PADRE de Jesús fue Judas Bar-Ezequías, llamado también JUDAS DE GAMALA, fundador de la secta judía de los ZELOTAS y padre de los otros hermanos de Jesús: o sean, Simón Pedro, Santiago el Mayor, Andrés, Judas Tadeo gemelo de Jesús (dídimo en hebreo es "gemelo") y José. Judas de Gamala encabezó una de las sublevaciones contra Roma y murió, al parecer crucificado, en el año 6 en la Segunda Gran Insurrección contra los romanos. Jesús tenía pues 12 años al morir su padre, muerte que explica la desaparición de Jesús desde los 12 a los 30 años, cuando reaparece en los Evangelios para iniciar su vida pública (¿como zelota y sucesor de su padre en la lucha?).

¿Es cierto que el verdadero padre de Jesús fue un centurión romano?

¿Por qué se desaparece José, el padre de Jesús, de las páginas de los Evangelios?

Todo esto checa con una lectura histórica y lógica de los Evangelios (y de los papiros hallados en Egipto, más los Rollos del Mar Muerto), amén de las fuentes históricas no cristianas.

Y así se explica lógicamente la existencia de los HERMANOS de Jesús y de las misteriosas mujeres al pie de la cruz, llamadas Martha y María, HERMANAS o hermanastras de Jesús, y la mención de éste a su madre al referirse a Juan : "Madre, he aquí a tu hijo"...

Y aparece así el motivo real de la crucifixión de Jesús y de sus hermanos, todos crucificados por Roma por Zelotes, excepto Santiago el Menor, lapidado por orden del pontífice Ananías el año 63 por blasfemo.

Y de paso se explica así el letrero de INRI que colgaba de la cruz (Iesus Nazarenus Rex Judeorum = Jesús de Nazareth, Rey de los Judíos), cargo por el que Poncio Pilato ejecutó a Jesús.

Y finalmente eso explica por qué el señor San José no vuelve a aparecer en los Evangelios para nada, y ya se duda seriamente que haya existido más que en la maquiavélica imaginación del tal Saulo Pablo.

Judas estuvo luchando hasta que fue muerto por los romanos, que lo crucificaron en el año 6 de nuestra Era. Jesús tenía 12 años al morir su padre. Toda la familia, perseguida por Roma, huyó de Israel, supuestamente a Egipto. Posteriormente, María volvió a casarse con un tal Zebedeo, con quien tuvo otros hijos: Martha, Santiago, María y Juan.

¿De dónde sacó la Iglesia el culto a la Virgen María?

¿Por qué la mitad de los cristianos NO adora a la Virgen María?

Baldung

54

EN LOS EVANGELIOS NUNCA SE LLAMÓ A MARÍA "MADRE DE DIOS", sino "madre del Señor". Los primeros cristianos no la veneraban como Madre de Dios y el mismo San Pablo NUNCA la llega a mencionar. El culto a la Virgen María comenzó hasta el siglo IV, cuando la Iglesia se volvió sucesora del Imperio Romano.
Los primeros cristianos no adoraban imagen alguna: lo consideraban idolatría. ¿Qué pensarían ahora de las iglesias católicas llenas de ídolos de vírgenes y santos? ¿Qué pensaría Jesús?

La mitad de los que se dicen cristianos NO adoran a la llamada Virgen María, por la sencilla razón de que no se creen el cuento de la "purísima concepción" ordenada por Roma. Ningún protestante adora a la Virgen, ni cree en las presuntas apariciones de vírgenes en los países católicos, ni cree en el famoso Espíritu Santo fecundador de doncellas inocentes. Los protestantes creen en todos los otros cuentos de los Evangelios, pero no se tragan el más increíble de ellos...

La "virgen" María no es la primer VIRGEN creada por el hombre. En el hinduismo aparece la Virgen Maya con todo y niño, fecundada milagrosamente por Vishnú en su novena reencarnación como Budah. Esto ocurrió 628 años antes de Cristo, para que vean...

Egyptian Isis and Horus (Harpocrates).
(Berlin Museum.)

◀ EN EGIPTO, MILES DE AÑOS ANTES DE CRISTO, CREARON SU VIRGEN-MADRE ISIS, MAMÁ DEL DIOS HORUS...

Cibeles, la gran Diosa Madre

Y LOS GRIEGOS NO SE QUEDARON ATRÁS CON SU VIRGEN-MADRE RHEA, TRANSFORMADA POR LOS ROMANOS EN LA FAMOSA DIOSA-MADRE CIBELES. COMO VEIS, LA IGLESIA NO ES NADA ORIGINAL...

La Virgen Maya y su hijo Buda.

¿Por qué la Iglesia falsificó la Biblia para fabricarle a María una "virginidad"?

Cuando la Iglesia decidió elaborar el Nuevo Testamento de acuerdo con sus intereses, se usó la Biblia judía traducida del hebreo al griego (Biblia de los Setenta). Los judíos ortodoxos la consideraban una **pésima** traducción que NO respetaba la autenticidad de la Biblia original. Hasta la fecha, la Septuaginta está considerada como "fraudulenta".

De esa falsa Biblia, la Iglesia tomó una de las profecías de Isaías para inventar una VIRGEN. El texto –griego– dice:

"He aquí que la VIRGEN concebirá y dará a luz un hijo y será su nombre Emmanuel."

En la versión original hebrea la palabra que se usa es *ha-almah = la joven*. Pero en la versión griega se tradujo mañosamente por *perthenos = virgen*, con lo que cambia todo el sentido de la frase. ¡Un vil fraude!

Al hacer la traducción del griego al latín, San Jerónimo, que conocía la versión hebrea perfectamente, usó la misma palabra griega pero en latín: "virgo", pese a que se le hizo ver el error de traducción. San Jerónimo no hizo caso, la Iglesia tampoco, y quedó así establecido desde fines del siglo III que María había concebido sin dejar de ser virgen.

Vivarini

LA INMACULADA DECEPCIÓN

De la falsedad creada en Isaías se pasó al Evangelio de Mateo, que repitió la profecía ya falsificada y mentirosa de la Inmaculada Concepción de María. Santo cuento que, como casi nadie se lo tragaba, tuvo que ser convertido en DOGMA por la Iglesia, es decir como OBLIGATORIO DE CREERSE SO PENA DE EXCOMUNIÓN Y CONDENA ETERNA.

Lo que provoca el cambio de UNA palabra...

COMO DECÍAMOS HACE RATO, EN NINGUNA PARTE DEL NUEVO TESTAMENTO SE HABLA DE UN CULTO A LA "VIRGEN MARÍA". Y sin embargo, la Iglesia afirma en su doctrina que "...ninguna práctica es tan antigua, constante y devota dentro de las prácticas de la Iglesia, como el culto de María".

¿reliquias? ¡¿HUESOS Y ESAS COSAS?!

PERO... se olvida la Iglesia que en los primeros siglos del Cristianismo NO existía ese culto, ni se hablaba de que María, la madre de Jesús, hubiera sido LLEVADA AL CIELO POR LOS ÁNGELES, como se estableció oficialmente hasta el año 415. Lo que resulta un tanto incomprensible al enterarnos de que en muchas iglesias europeas se veneran todavía RELIQUIAS de su santísimo cadáver.

¿NO, PUES, QUE LA VIRGEN SE FUE AL CIELO CON TODO Y ZAPATOS?

57

¿Quién pagó la Última Cena?

Al decir de los historiadores serios y no sometidos a los criterios oficiales del Vaticano, la Última Cena NO se llevó a cabo como la describen los Evangelios. Los que escribieron esas joyas literarias de ciencia ficción inventaron todo PARA QUE COINCIDIERA CON LAS VIEJAS PROFECÍAS. Y para tener base para inventar el "sacramento de la Eucaristía", la despedida del Maestro (por eso la llaman "la "Última Cena"), la lavada de pies y la traición de Judas que, para contestar la pregunta, debe de haber sido el que pagó la cuenta por ser el tesorero del grupo subversivo... Y chance y esas míticas 30 monedas eran para el pago de la merienda.

NI PA'LA PROPINA...

58

¿Por qué reciben a Jesús con palmas y vítores, y tres días después piden su crucifixión?

{

Eso demuestra con creces que lo de la entrada a Jerusalem a bordo de un burrito fue inventado para que coincidiera con las profecías del Viejo Testamento.

Leyendo a uno de los presuntos evangelistas, resulta que la vida pública de Jesús sólo duró tres tristes meses y que sólo una vez fue a Jerusalem. Surge entonces la duda de... ¿cómo es posible que las masas de Jerusalem lo recibieran con palmas, bailes y ovaciones si No lo conocían? Para mí que todo eso lo inventaron para coincidir con las dichosas PROFECÍAS de la Biblia.
De otro modo, si de veras era tan popular y querido, las masas lo hubieran escogido para ser indultado en lugar de Barrabás, tres días después de que lo recibieron como campeón de la Copa del Mundo.
Si votaron por Barrabás, es que ése sí era conocido y admirado por todos... ¿no creen?

¿Por qué en los Evangelios no se habla ni media palabra de los años mozos de Jesús?

¿Dónde diablos se metió Jesús de los 12 a los 30 años?

En los 4 Evangelios se les olvidó mencionar que Jesús fue joven. Su biografía se salta la vida de Jesús de los 12 a los 30 años. ¿Qué hizo Jesús en esos 18 años? Hay dos posibilidades:
1) que olvidaran sus años mozos por haber andado en la INTIFADA contra Roma, o
2) que Jesús, como tantos otros jóvenes judíos, se pasó esos años estudiando su religión para convertirse en Fariseo (rabí), lo que tampoco era de la conveniencia de los que inventaron los famosos Evangelios.

En 1864 un periodista ruso, Nicolás Notovich, publicó un libro que causó sensación en Europa y Estados Unidos: *"LA VIDA SECRETA DE JESUCRISTO"*. En el libro contaba de un viaje que hizo al Tíbet, donde en un monasterio budista le contaron que... ¡Jesucristo había vivido en aquellas regiones de Cachemira y el Himalaya de los 13 a los 29 años¡ Que se le conoció como el Santo Issa y que había alborotado con sus sermones a medio mundo. Que los monasterios budistas estaban llenos con escritos referentes a Jesús bajo el nombre de Issa y que finalmen-

te, perseguido por los poderosos de esas regiones, había regresado a Palestina con sus padres, de donde había escapado a los 12 años incorporándose a una caravana de buhoneros...
No habiendo más pruebas que su palabra, la tesis de don Nicolás fue enviada al basurero de la historia de las grandes tomadas de pelo...

¿Cómo estudiaban los jóvenes judíos?

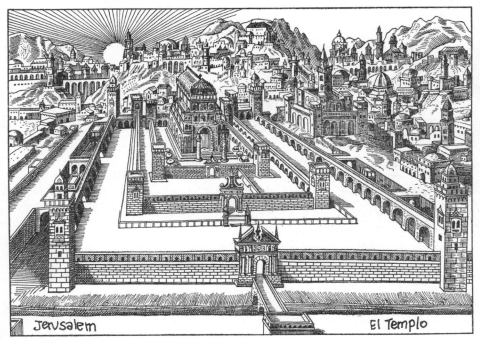

Jerusalem   El Templo

Los niños empezaban a los 5 años de edad a estudiar la Torah escrita. A los 10 años, la Torah oral. A los 13 recibían el Bar mitzvah (mayoría de edad judaica). A los 15 años estudiaban el Halachot, o sea la legislación rabínica, casándose a los 18 años y empezando a ejercer como rabinos a los 20.

¿Es lo que hizo Jesús, pero se rebeló contra la corrupta jerarquía rabínica? Sabrá Dios: uno no sabe nunca nada...
Lo único que es obvio es que Jesús conocía bien la Ley.

61

¿Cómo era realmente Jesús?

De Jesús se han escrito más de SETENTA MIL BIOGRAFÍAS.
Y sin embargo, es poquísimo lo que se sabe de él y su familia. Sigue ahí el misterio de su juventud. Nadie ha podido decir con certeza histórica cuándo y cómo nació, ni tampoco cuándo y cómo murió. Y entre esas dos fechas clave hay un desierto enorme de datos sin resolver. En 1979 se realizó en Alemania una encuesta sobre Jesús. Un 38% dijo creer que era un invento de la Iglesia. El 33% lo consideraba hijo de Dios, mientras que el 21% lo consideraba solamente un hombre extraordinario y un 7% ni siquiera creía que hubiera existido. ¿No es increíble que un 66% NO lo considere Dios en un país tan "cristiano" como Alemania (Federal)...?!

Ha habido que inventar a Jesús.

No se cuenta con ningún documento, ningún acta judicial, ninguna carta familiar, ningún papel que hable de él o su familia. Tampoco se ha encontrado ningún escrito suyo, y entre los escritos judíos de su época -que los hay por docenas- tampoco aparecen datos que pudieran servir para conocerlo ALGO por lo menos... ¡nada!

Es bastante curioso, pero no se conoce un solo papel escrito por Jesús. Ni un rengloncito, ni una simple letra. O no sabía escribir o ninguno de los que le rodeaban lo hacía. Porque, vea usted: los CUATRO Evangelios NO los escribieron los discípulos, ni alguien que lo hubiera tratado en esos días. ¡Qué misterio!

Absurdo el asunto, pues si como dicen, Jesús vino a la Tierra en representación de su Padre Dios

para dejar un mensaje nuevo de la voluntad divina, ¿por qué no se preocupó nadie, ni el Padre ni el Hijo ni los tales discípulos de que el mensaje, la nueva Ley, quedara claramente transmitida para todos?

No se acaba de entender todavía por qué no se dio a conocer esa Ley a todo el mundo civilizado... ¿No le huele al lector a tomada de pelo?

¿Cómo era físicamente Jesús? Seguramente nunca lo sabremos, a menos que –como repetidamente lo anunció– regrese y sa haga efectiva la Segunda Venida de Jesucristo. Como la prometió "en su generación", se quedaron esperándola.

En tres de los apócrifos se le describe como COJO, pero nada más. Si era rabino, debía usar barba. Si era esenio, usaba el pelo largo y la barba.

Y había en Palestina tantas mezcolanzas de razas, que sería imposible presentar un prototipo de Galileo en el que cupiera Jesús. Por eso el retrato hablado de Jesús no se ha hecho y su verdadera imagen ha quedado en manos de la imaginación de los grandes y pequeños pintores de todos los tiempos.

Curiosa imagen de Jesús sin barba, de un manuscrito propiedad de Carlomagno.

63

¿Por qué tenía discípulos Jesús?

En aquellos tiempos, un judío tenía discipulos si
A) era un rabino
B) era esenio
C) si era zelota.

Como Jesús, al parecer, NO era un rabino, quedan las otras dos opciones. O siendo esenio lo seguían algunos discípulos; o siendo zelota, es decir, guerrillero contra Roma, tenía bajo sus órdenes a otros revoltosos.

Para cualquiera de las dos opciones hay suficientes datos que las prueban. Según la Iglesia, Jesús dirigía a un grupo que predicaba doctrinas de amor y paz, ¿al margen de la Ley, es decir de la religión judía?

Es falso. Jesús nunca se puso al margen de la Ley. En el mejor de los casos quería mejorarla desde adentro. (Los judíos actuales lo consideran FARISEO, pero sin fundamentalismos rituales).

Y en el peor de los casos, Jesús estaba luchando con las armas, contra Roma.

64   Escoja lo que prefiera...

¿Fue Jesús un guerrillero contra Roma?

Aunque en otro libro ya he hablado detalladamente del Cristo Guerrillero, en éste sólo quiero señalar unos cuantos hechos que apoyan esta teoría.

1) los romanos sólo crucificaban a los delincuentes políticos, es decir a quienes se levantaban en armas contra Roma.

2) el hecho de que Pedro y otros discípulos anduvieran armados, demuestra que no andaban predicando amor y paz.

3) si como ha demostrado la historia, casi todos los discípulos murieron crucificados, como Jesús, fue porque eran zelotas o esenios radicales.

¿Por qué andaban armados los tales apóstoles?

Bien leidos los Evangelios resultan algo parecidos a los comunicados de algún grupo guerrillero y subversivo. Desde las famosas Bienaventuranzas del famoso Sermón de la Montaña ("bienaventurados los POBRES" que la Iglesia cambió por "pobres de espíritu") hasta la condena de los ricos imposibilitados de disfrazarse de camellos que crucen por el ojo de una flaquísima aguja, en los Evangelios abundan los llamados a la violencia.

"No penséis que he venido a traer paz a la Tierra. No he venido a traer paz, sino espada. He venido a enfrentar al hombre con su padre, a la hija con su madre, a la nuera con su suegra... " (Mateo 10).

O este otro:

"...recuerda (rico Epulón) que tú recibiste bienes durante tu vida y Lázaro (el pobre) al contrario, males. Ahora pues, él es ahora consolado y tú condenado al infierno. Entre nosotros (los pobres) y vosotros (los ricos) se interpone un gran abismo" (Lucas 16). No, no lo escribió Federico Engels, ni Lenin...)

Y cuando hablan de un San Pedro que saca la espada y le corta a un guardia la oreja, es que están hablando de un grupo que se defiende del enemigo romano con las armas en la mano. La autoridad romana clasificó a Jesús y los suyos en la línea de los gurrilleros zelotes o esenios maoístas, y al condenarlo quedó bien claro el motivo de la condena: JESÚS NAZARENO REY DE LOS JUDÍOS. Fue una condena política, no religiosa. Jesús fue crucificado por sedicioso, y a sus compinches les pasó lo mismo: todos fueron crucificados por Roma por sediciosos.

(Los judíos NO crucificaban...) **65**

¿Jesús predicó una nueva religión?

¿Jesús renegó de su religión?

LA NETA ES QUE NUNCA HUBO 12 APÓSTOLES 12. SE FIJÓ ESE NÚMERO PARA QUE FUERAN REPRESENTACIÓN DE LAS 12 TRIBUS DE ISRAEL, DE LOS 12 HIJOS DE JACOB, QUE A SU VEZ SERÍAN LA REPRESENTACIÓN DE LOS 12 SIGNOS DEL ZODIACO.

Es totalmente falso que la misión de Jesús era terminar con la Ley, es decir con la religión de sus padres, y fundar una nueva. Jesús nació, vivió y murió muy joven como JUDÍO practicante y jamás renegó de sus creencias. Creía en su Dios Jehová, guardaba el Sábado, cumplía los mandamientos de Moisés, practicaba el culto en la sinagoga, discutía con los escribas y fariseos la correcta interpretación de la Torah y fue solidario siempre con su pueblo, el pueblo judío. Todo lo demás que ha inventado la Iglesia, son pamplinas.

Jesús, aunque era un hombre inteligente y educado, JAMÁS RENEGÓ DE SU RELIGIÓN, pese a que la religión judía era (y es una) colección de tonterías rituales y leyes absurdas y obsoletas indignas de ser practicadas por nadie en uso de su razón. Pero pos así son todas las religiones que ha inventado el ser humano.

¿Jesús sí creía que se acababa el mundo?

Jesús estaba convencido de que el mundo se iba a acabar pronto. Incluso afirmó que "el Hijo del Hombre vendrá en las nubes con gran potencia y majestad", ANTES de que hubiera pasado su generación.

Y nada que ha regresado. Muchos cristianos han estado esperando desde hace siglos la SEGUNDA VENIDA DE CRISTO (sin albures, plis...) y nada. Hay quien dice que, ora sí, que ya mero, que falta sólo un Papa para que venga, pero que antes tiene que llegar el Anticristo.

Y realmente no sabemos de quién es la falta de seriedad. O Jesús nunca lo dijo y los evangelistas se lo achacaron, o si lo dijo, se lo tomaron en serio. ¿O Jesús creía de veras que ya se acababa el mundo? Entonces habría que pensar que como Hijo de Dios estaba muy pero muy mal informado...

67

¿Estaba Jesús de acuerdo en pagarle impuestos al Invasor romano?

¿Cómo expulsó Jesús del Templo a los vendedores de fayuca?

• • • • • • • • • • • • • • •

¡ Para nada !
Ese cuento evangélico de "dad al César lo que es del César y a Dios lo que es de Dios" es producto de dos cosas:
1) el deseo de los primeros dizque cristianos de quedar bien con Roma, haciendo aparecer a Jesús como partidario del pago del impuesto al invasor, y
2) una traducción malintencionada por la que la palabra *devolver* se transformó, por obra del Espíritu Santo, en "dar".
Jesús dijo: "DEVOLVED al César lo que le corresponde", no se lo paguéis. ¿Por qué?
Pues porque al aceptar el pago del tributo, era aceptar la divinidad del emperador romano.
¡La Iglesia trató de hacer aparecer a Jesús como partidario del emperador, coño!

POS SÍ: SI PAGAN LOS IMPUESTOS, TAMBIEN PAGAN EL DIEZMO...

La expulsión de los mercaderes del Templo por Jesús, parece ser sólo una leyenda simbólica.
En el respetado Templo NO SE PERMITÍA POR NADA DEL MUNDO EL COMERCIO ORGANIZADO, ni el informal. ¿Eran fayuqueros vendedores de contrabando?
Ni siquiera se permitía subir la colina del Templo con bolsas, ni mucho menos al Templo mismo.
Y suponiendo que hubiera sido cierto, ¿cómo iba Jesús solo y mal armado a someter a 25 mercaderes judíos?

¿Por qué pintan tan guapo a Jesús?

El primer "retrato" de Jesús que se conoce, estaba en la Catacumba de Domitila en Roma y data del siglo IV. Por la fecha en que fue hecho, no es creíble que "así" haya sido Jesús, ni tampoco como se lo imaginaron Rembrandt, Fra Angélico o Durero.

¿Por qué llamaban Jesús a Jesús, si no se llamaba Jesús?

El verdadero nombre de Jesús era en hebreo, JOSHUA, que en su traducción NO significa SALVADOR, como dice la madre Iglesia, sino "SALVADO POR DIOS", que es muy diferente…

¿Crucifixión o cruci-ficción?

Gustave Doré

¿Es cierto que Jesús NO murió en la cruz?

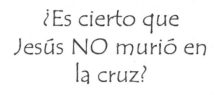

Si para muchos estudiosos la crucifixión de Jesús es solo una piadosa leyenda, para otros hay otra leyenda dentro de la leyenda. La de que Jesús NO murió en la cruz, al ser sustituido por el tal Simón Cirineo, que no sólo le ayudó a cargar la cruz, sino que además... ¡fue crucificado en su lugar! También hay la versión de que fue desclavado antes de morir por José de Arimatea, amigo de Poncio Pilatos, por lo que NO se encontró el cuerpo en la tumba. ¿Usted con cual se queda ?

¿Y Barrabás?

La implacable Historia que ha acabado con tantos cuentos y leyendas, ha acabado también con el cuento de Barrabás. Está demostrado ya que NO había tal "amnistía pascual" en la que le perdonaban la vida a algún delincuente común. BARRABÁS, en lengua hebrea, significa "hijo del hombre", que es como se llamaba a sí mismo don Jesús. La realidad es que alguien inventó eso para que cuadrara con las "profecías"...

La crucifixión se llevaba a cabo clavando enormes clavos de hierro, uno atravesando los DOS pies, y otros dos en cada BRAZO no en la palma de la mano, que no soportaría el peso. Por eso se considera un fraude a los "estigmatizados" que dizque sangran de las manos...

• • • • • • • • • • • • • • • •

¿Por qué Dios no hizo nada para salvar a su "hijo"?

Parece que no se pusieron de acuerdo en la hora, lo que hizo que Jesús se molestara un tanto y dijera aquello de:
"DIOS MÍO, ¿POR QUÉ ME HAS ABANDONADO?", que según algunos evangelistas anónimos fue bastante más fuerte y con mentada de madre.
(Para nosotros es una demostración de que Jesús no era ningún Hijo de Dios, como lo quiere hacer aparecer la Iglesia.)
¿Por qué?
Hombre, porque los romanos sí aceptarían una religión con un "Hijo de Dios", pues así nombraban a sus emperadores, y ya tenían antecedentes de dioses que bajaban a la Tierra disfrazados de hombres (Júpiter, Zeus, o el cisne que se recetó a Leda).
¿Cómo iban en cambio a aceptar una religión que adoraba a un pobre judío muerto en la cruz de la ignominia?

¿Sabía usted que la cruz nunca fue un símbolo judío?

La CRUZ no es una exclusiva del Cristianismo. Ha existido desde tiempos inmemoriales en todas las culturas. Para no ir más lejos Quetzalcoatl la usaba como símbolo. Y los Budistas, los antiguos egipcios, los griegos.
Pero los romanos la usaban como símbolo de escarnio pues en una cruz colgaban a los delincuentes POLÍTICOS, a los que se alzaban contra el Imperio Romano, cosa que NO HACÍAN LOS JUDÍOS que en cambio lapidaban a los delincuentes... y a las mujeres adúlteras que volvían cornudos a sus queridos esposos.

FORMAS DE CRUZ
1) De calvario, 2) Latina, 3) Cruz Tau. 4) De Lorena, 5) Patriarcal 6) De S. Andrés, 7) De S. Jorge o griega. 8) Cruz papal, 9) Cruz de cuadrante, 10) De Malta 11) Cruz doblada, 12) Cruz en círculo, 13) De Jeruzalem, 14) Cruz floreada.

71

¿Puede alguien resucitar?

....

¿Cómo se puede probar una resurrección?

Hay muchos antecedentes de dioses y héroes mitológicos "resucitados" y hasta ascendidos a los cielos. El mismo emperador Augusto ya había resucitado y subido a los cielos, tal como lo consigna el historiador romano Dion Casio.

Y lo mismo se dijo de Barbarroja, cuando no regresó de su Cruzada. El primero que habló de Cristo resucitado fue Pablo, que no resulta confiable para nada. Sólo hasta el siglo IV se empezó a hablar "oficialmente" de una supuesta resurrección y hasta el Concilio de Nicea, del año 325, se declararon como Dogmas la resurrección y ascensión de Cristo a los cielos.

Los otros "testimonios", de los Evangelios, como ya se sabe, no cuentan como documentos históricos y son poco dignos de fiar. Una resurrección no es enchílame esta gorda... y no se diga subir a los cielos.

Ante los ojos asombrados de los romanos, el águila de Júpiter se lleva triunfalmente hacia el cielo al emperador Antonino Pío (86-161). Reverso de una medalla de bronce

¿Quiénes eran los otros muertos que resucitaron ese domingo pascual?

• • • • • • • • • • • •

Si Cristo ascendió en cuerpo y alma a los cielos, ¿cómo hay tantas reliquias suyas en las iglesias del mundo?

ESO TRAERÍA A COLACIÓN UNA TREMENDA DUDA TEOLÓGICA: SI DIOS HIJO SUBIÓ AL CIELO EN CUERPO Y ALMA, ¿QUIERE DECIR QUE UN DIOS TIENE UN CUERPO COMO NOSOTROS? Misterio...

" Y desde la hora sexta hasta la hora nona quedó toda la tierra cubierta de tinieblas (...) y al momento el velo del Templo se rasgó en dos partes de arriba a abajo, y la tierra tembló y se partieron las piedras y los sepulcros se abrieron, *y los cuerpos de muchos resucitaron y saliendo de los sepulcros vinieron a la ciudad santa y se aparecieron a muchos*" (Mateo 27:45-51).

Todo este irigote es falso. No se consigna en ninguna parte que ese día hubiera eclipse o terremoto. Y el sorprendente hecho de que cadáveres de resucitados anduvieran espantando gente por las calles de Jerusalem, era algo digno de ser comentado por alguien más creíble que don Mateo. Recuerde el lector que ninguno de los Evangelios fue escrito por ninguno de los apóstoles de Jesús.

73

¿Jesús hizo el sermón de la Montaña?

¿Y qué pasó por fin con la llamada Sábana Santa?

¿Cuál de todas? El lector debe saber que, además de la que se adora en Turín, existen otras 2 en Italia y Francia. Aunque la más famosa es la de Turín, que puesta a analizar en laboratorios serios y prestigiados de Oxford, Zurich y Tucson, ¡resultó ser una tela elaborada en el siglo XII! Los estudios se llevaron a cabo en 1988, pero –claro– la Iglesia no le ha dado nada de publicidad al asunto. *Bussines is bussines*, que diría San Pablito...

Lamentamos informar a nuestra apreciable clientela que el famosísimo SERMÓN DE LA MONTAÑA NO fue pronunciado por Jesús, según lo han comprobado varios malditos historiadores y estudiosos de las Sagradas Escrituras.

¿Alguien ha ido al cielo y regresado?

(Foto tridimensional USAF)

ARES.

HASTA ORITA LOS ÚNICOS QUE HAN IDO A LOS CIELOS Y REGRESADO HAN SIDO LOS ASTRONAUTAS.

¿Por qué no ha vuelto a aparecer Jesús en 20 siglos?

Jesús no ha vuelto en 20 siglos para evitar que lo vuelvan a crucificar, aunque ahora los verdugos serían otra clase de hijos de Roma: los cardenales.

¿Por qué hay 3 sepulcros de Jesús en Tierra Santa?

Así eran los sepulcros judíos de tiempos de Jesús, tapados con una enorme piedra.

(NUNCA FUERON ASÍ)

Como ya vimos brevemente, la pretensión de los inventores de los Evangelios sobre el sepulcro de Jesús, se cae de las manos cuando los historiadores nos dicen que *los crucificados NO tenían derecho al sepulcro. Normalmente se les echaba a la fosa común o los dejaban en la cruz para que las aves de rapiña dieran cuenta de los restos. Era parte del ignominioso castigo.*

En los mismos Evangelios nos dan TRES distintas versiones: Mateo dice que el cuerpo fue depositado en el propio sepulcro de José de Arimatea, mientras Marcos dice que el tal José "lo depositó en un monumento que estaba cavado en la roca" y Juan lo ubica "cerca del sitio donde fue crucificado, había un huerto y en él un sepulcro nuevo en el cual nadie había sido depositado".

Por eso no resulta extraño, pero sí milagroso, que haya tres distintos Santos Sepulcros en Jerusalem. Uno, el descubierto en el año 325 por órdenes de Constantino, localizado debajo del templo que el emperador Adriano le consagró a Venus 200 años antes. El segundo lo "descubrió" el general Gordon en 1883, a dos kilómetros de la puerta de Damasco. Y el tercer "verídico" sepulcro lo ubicaron en 1968 en el barrio de Giv'at Ha-Mitvar, como parte de la fosa común donde enterraron a los muertos de la primera sublevación judía, todos convenientemente crucificados.

El autor declara consternado no saber cuál de los 3 se venera actualmente como "el bueno".

Si quieren seguirse divirtiendo con el pretendido sepulcro y los pretendidos restos de Jesús, vean la película EL CUERPO.

Por cierto, las famosas guerras de conquista llamadas CRUZADAS se hicieron dizque para rescatar el Santo Sepulcro que estaba en manos de infieles árabes, cruzadas que costaron, igual que las guerras de Bush, miles de muertos entre los fieles del Islam.

75

¿Qué se hicieron los apóstoles a la muerte de Cristo?

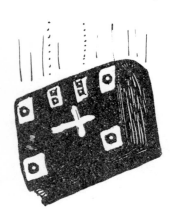

¿Cómo murieron los doce apóstoles?

....

JUDAS ISCARIOTE
Murió a manos de los otros discípulos en 35. No se ahorcó.

*

BARTOLOMÉ Y JUDAS TADEO
Crucificados por Cuspio Fado el año 47, por zelotas.

*

SIMÓN PEDRO Y SANTIAGO EL MAYOR
Crucificados juntos el año 47 en Jerusalem bajo Tiberio Alejandro.

*

SANTIAGO EL MENOR
Lapidado en Jerusalem, año 63, por órdenes del pontífice Ananías.

*

JUAN
Murió crucificado en Judea el año 64, acusado de zelota.

*

ANDRÉS
Pudo ser crucificado por el Procurador Félix el año 56.

*

FELIPE, MATEO Y TOMÁS
Al parecer, los tres se retiraron de la secta. No se tienen noticias. De LUCAS no se sabe nada y ni siquiera se le menciona en los Evangelios como uno de los 12.

¿Cuáles Sacramentos creó Jesús?

Jesucristo NUNCA inventó un solo Sacramento. Sólo habló del Bautismo y aún se duda si esas palabras fueron suyas o se las endilgaron alegremente.
La Iglesia inventó lo demás: la Misa en el año 394, la Comunión en 1215, al igual que la Confesión, en el Concilio de Letrán, y los otros llamados Sacramentos, hasta sumar siete, fueron instituidos hasta 1439, en el Concilio de Florencia.

¿Los fariseos eran tan malos como dicen los Evangelios?

¿Jesús era virgen?

Los evangelistas nos cuentan que Jesús comía bien y bebía y andaba con mujeres. ¿Bailaba? ¿Hacía chistes? ¿Tenía amigos y amigas? Tan malos biógrafos resultaron los dizque evangelistas, que no sabemos nada de los sentimientos humanos, gustos y debilidades del señor Jesús.
Por otro lado, en esos mismos Evangelios Jesús aparece y se comporta como un rabino. Así lo llaman en varias ocasiones. Y los rabinos se casaban y tenían hijos... y antes, clarín corneta, tenían novias y etcétera.
Y caso de no haberlo sido, si como parece era esenio, se sabe con certeza que ellos NO se casaban, pero SÍ practicaban el sexo. ¿Con cuál de las Marías andaba Jesús? ¡Qué lío!
Con razón el maese Saramago nos deleitó con su *Evangelio según Jesucristo*...

Los fariseos no eran tan malos como los describe falsamente el Nuevo Testamento. Ellos eran los estudiosos de la Ley y los que más velaban por su cabal cumplimiento. Claro, los había tan corruptos como cualquier cardenal u obispo, pero un ilustre fariseo, Nicodemo, habla con Jesús y lo reconoce diciéndole: "Rabí, sabemos que eres un maestro que habla por Dios". ¿Entonces por qué ese odio a los fariseos, don Pablo?

¿Quién fue realmente María Magdalena?

¿Entonces Darwin tenía razón?

De acuerdo con los cuatro Evangelios, luce la chamaca como prostituta, por lo que resulta extraño que la hayan canonizado como Sta. María Magdalena. Pero de acuerdo con historiadores serios, María Magdalena pudo haber sido ESPOSA de Jesús y en esa lógica, sería normal que siguiera a Jesús hasta la cruz, y que fuera la primera a quien se le aparece Jesús al "resucitar". Hay iglesias dedicadas a Sta. María Magdalena en ciudades griegas y rusas. La neta es que no se sabe nada de ella...

Durante casi dos siglos la Iglesia rechazó la teoría de la EVOLUCIÓN, y excomulgó a quienes la creyeran. Y todo porque se contradecía con la Biblia y su cuento del Génesis creador. Y de pronto, junto con el reconocimiento de que Galileo y Copérnico tenían razón, llegó, en 1944, de boca del mismo Papa polaco el reconocimiento de Darwin. Claro, los medios escondieron la nota, y a la fecha hay cristianos que juran no haberse enterado de lo que dijo el infalible Papa.

¿Qué clase de fruta daba el Árbol del Bien y el Mal?

¿Ha hablado Dios a los hombres?

Debe de haber sido una fruta que ya no se consigue, porque al comerla, según le dijo Jehová al atarantado de Adán, moriría. Adán se la comió y... ¡no se murió! En cambio, se dio cuenta de que podía disfrutar del sexo, que él creía servía sólo para hacer pipí. Debe de haber sido pues una fruta medio afrodisíaca...

¿Por qué cobran por rezarle a Dios?

¡No se deje! Las oraciones a Dios o a las Vírgenes son gratis, no causan impuestos, ni se aplican restricciones.
Si rezar lo hace feliz o cree que lo hace feliz y que le van a hacer caso, ¡pos órale!

——————————————————

Si usted es de los que cree que la Biblia dice la verdad, puede creer con toda confianza que don Dios ha hablado con medio mundo en Palestina. (Fuera de Palestina parece que no se da bien la comunicación, excepto aquel encuentro que tuvo con el famoso Moisés en el monte Sinaí, allá por Egipto.)
Pero si usted no le cree a la Biblia, no tiene entonces que preocuparse de esas tonteras.
Total, si un día Dios quiere comunicarse con usted, tómele la llamada, pero cheque que no sea por cobrar.

——————————————————

¿San Pablo fue uno de los apóstoles?

¡NO MANCHEN! NI SIQUIERA CONOCIÓ A JESÚS...?

Saulo nació de padres judíos en Tarso, Cilicia, provincia romana, el año 10 de nuestra Era. Heredó de sus padres un extraño privilegio reservado a los funcionarios del Imperio: la doble nacionalidad.

Su familia era acomodada, el padre fabricaba tiendas de campaña -algo muy utilizado- y mandó a Saulo a estudiar a Jerusalem para volverlo rabino y fariseo. Poco se sabe de él, hasta que en plena juventud aparece como perseguidor de judíos subversivos contra Roma, ocupante de Palestina.

No era militar, así que seguramente trabajaba como agente de seguridad y acusador de esenios y zelotas levantados -lo mismo que Jesús- contra Roma. Por ser agente romano, gozaba de la doble nacionalidad y otros privilegios. Saulo, feroz represor de los disidentes, participó en la lapidación del esenio-cristiano Esteban, el año33, acusado por la jerarquía sacerdotal judía de blasfemo y convertido así en el PRIMER MÁRTIR CRISTIANO.

SAULO APEDREANDO A ESTEBAN.

¡ÓRALE GÜEY, YA ME DISTE!

¿San Pablo era un agente secreto de los romanos?

Temiendo por su vida al conocerse sus actividades como denunciante de cristianos, el joven Saulo decidió "volverse" cristiano y cambiarse el nombre.
Inventó con ese propósito una "aparición" de Cristo en la que el mismo Jesús -ya muerto- le reprochaba que anduviera persiguiendo a sus discípulos (año36).
Nadie se lo creyó y los cristianos decidieron matarlo por soplón.
Entonces Pablo (tal era su nuevo nombre), decidió,en el 39, poner tierra de por medio huyendo a su tierra donde nadie sabe qué estuvo haciendo durante 8 años.

¡ocho años!

¿Por qué dicen que el inventor del Cristianismo fue San Pablo?

Lo que Pablo quería -y logró- era fundar una religión simpática a los romanos, presentando a Jesús como enemigo de la Ley mosaica y renegado de la religión de sus antepasados.

Lo que, en cambio, querían los discípulos de Jesús era que los judíos se hicieran cristianos sin dejar de ser judíos.

PABLO, EL ANTIGUO POLICÍA ROMANO, REAPARECE EN EL AÑO 45 CONVERTIDO EN FERVIENTE SEGUIDOR DE CRISTO Y PREDICANDO UNA NUEVA RELIGIÓN QUE PRETENDE PROPAGAR FUERA DE PALESTINA, DONDE LOS DISCÍPULOS DE JESÚS PREDICAN LA OTRA.

El falso apóstol y antiguo perseguidor de cristianos regresa de su voluntario exilio y empieza a viajar por todas las provincias del imperio Romano predicando un cristianismo inventado por él en contradicción abierta con el que en Palestina predican los discípulos sobrevivientes.

La teología cristiana que predica Pablo es el rechazo a la Ley de los judíos, de la religión que Cristo quería sólo reformar. Junto con la condenación de la Ley, Pablo condena también al pueblo judío. Ya no es -dice Pablo- el pueblo elegido.

Las Epístolas paulinas son los escritos más antiguos del cristianismo, anteriores a los cuatro Evangelios. Lo que hace suponer que los Evangelios se escribieron siguiendo las pautas antijudías y contrarias a las enseñanzas de Jesús. Así, Pablo y no Jesús, es el padre de la teología cristiana.

Pablo acusa a los judíos de "ladrones, adúlteros, idólatras, profanadores del Templo, malditos hasta el fin del mundo", de que su patrimonio espiritual y religioso "no es más que una inmundicia". Traidores, asesinos, paradigmas de maldad e hijos de Satanás.
Y finalmente Pablo dicta la peor acusación: DEICIDAS, culpables de haber dado muerte a Jesús, el Hijo de Dios.

Sus contradicciones no tienen una explicación lógica, excepto en su enfermedad que se manifestaba en continuos ataques de epilepsia. En una carta no acepta la resurrección de Cristo y en las siguientes lo identifica como Hijo de Dios.

Adelantándose por varios siglos a Adolfo Hitler, Pablo organiza en Efeso la quema pública de libros judíos, incluyendo la Biblia judía, base del llamado Nuevo Testamento. Pablo fue el primer antisemita cristiano al que seguiría fervientemente la Iglesia católica... y Adolfo Hitler.

Pablo inventó las jerarquías dentro de la Iglesia, jerarquías de poder que han sido una maldición para el Cristianismo.

Pablo ayudó a la causa romana predicando la sumisión total y definitiva de los esclavos respecto a sus amos. ("Siervos, obedeced a vuestros amos con temor y temblor".) Efesos 6:2-9.

¿Era Pablo misógino?

Contrario a Jesús que frecuentaba a las mujeres, Pablo no permitió que se las catequizara ("Docere mulierem non permito".) ¿Por ello era que lo llamaban "anormal" los discípulos de Jesús? Nunca se casó ni se le conocieron mujeres.

Se decía amado por Jesús al que ni siquiera conoció pero sí persiguió y decía tener conocimiento revelado por el mismo Jesús. Se creía el Mesías "destinado a iluminar a las naciones". Pablo quería ser la cabeza de una nueva religión y toda su vida luchó contra Pedro y Juan, que querían un Israel cristianizado que cumpliera la Ley judía. Pablo acusa cara a cara a Pedro de hipócrita y de ser igual que los hebreos circuncisos, apóstoles de embustes, mutilados y falsos hermanos. Pedro y los demás le contestan llamándolo "cobarde, traidor, anormal, cerdo, lleno de avaricia y loco". Todo un cristiano diálogo, como ven...

OPINIONES AUTORIZADAS SOBRE EL SEÑOR SAN PABLO

Pablo es el inventor del Cristianismo.
Nietzsche
+

Pablo fue el primer corruptor de las ideas de Jesús.
Thomas Jefferson
+

El Catolicismo es una forma degenerada del Cristianismo y su inventor es Pablo.
Johann Gottlieb Fichte
+

Los tres grandes enemigos del Cristianismo fueron Pablo, Agustín y Lutero.
Paul Tillich, teólogo
+

Las enseñanzas de Pablo son un injerto de las enseánzas de Cristo.
Gandhi
+

Pablo fue el Stalin del Cristianismo.
rius
+

En vida de Cristo ningún Pablo se le hubiera adherido.
Unamuno
+

Pablo, el apostol falso. Engels
+

Parece que Pablo predicaba un evangelio diferente al que predicaba Pedro y los otros apóstoles.
Thomas Morgan
+

El Cristianismo verdadero se deriva de las enseánzas de Jesús, no de las epístolas de Pablo.
Pablo. / Ernest Renan
+

Pablo presenta la carne maldita; la mujer se presenta como hija del demonio.
Simone de Beauvoir
+

¿Por qué hizo santo la Iglesia a Constantino si era un asesino?

Constantino fue uno de los últimos césares que tuvo el Imperio Romano. Se le llama El Grande porque fue el 1er. emperador que se hizo cristiano e impuso al Cristianismo como religión oficial (y única) del Imperio.

Por eso la Iglesia lo nombró santo, lo mismo que a su mamá Elena. (Aunque después lo quitaron del Santoral, lo que no ha evitado que sigan bautizando bebés con ese nombre.)

PERO LA VERDAD ES QUE CONSTANTINO EL GRANDE FUE UN HIJO DE LA CHINGADA, valga la expresión. ¿Por qué?

Pues nada más porque degolló a su hijo Crispo, estranguló a su esposa Fausta, asesinó a su suegro y a su cuñado, fue bígamo y envenenó a Arrio, un obispo cristiano que predicaba que Jesús no era Hijo de Dios con los mismos derechos que su Padre. Pero Constantino era un político antes que nada, y comprendió que el Cristianismo era una religión que estaba agarrando mucha fuerza entre el pueblo.

EN EL CONCILIO DE NICEA SE FUNDÓ REALMENTE LA IGLESIA CATÓLICA POR INICIATIVA Y MANDATO DEL GRAN CONSTANTINO.

Sus antecesores se habían ganado muchas antipatías por perseguir a los judeocristianos que pagaban sus impuestos y practicaban una religión que no se oponía a las que se practicaban en el Imperio.

Así que en el año 313 decretó que el Cristianismo era legal y se apoyó en los cristianos para combatir a sus enemigos. Es más, se hizo bautizar y se autonombró Salvador Designado por Dios, Vicario de Cristo, Nuestra Divinidad, Obispo de Todos, Enviado del Señor y Caudillo Amado de Dios. Y convocó a un Concilio en Nicea para el año 325 para aclarar todas las dudas y unificar todas las sectas, los Evangelios y la organización de la Iglesia, que era un desmadre.

Constantino, y no los obispos que asistieron al Concilio de Nicea, se arrogó el poder de decidir y aprobar o desaprobar TODO lo que ahí se discutió. Estableció sin tomar en cuenta a nadie, cuáles eran las enseñanzas de Jesús y cuáles los Evangelios a creer. Ordenó que se dejara de guardar el sábado y que se celebraran los domingos; decretó obligatorio el matrimonio por la Iglesia, el poder temporal de los obispos, autorizó a la Iglesia a recibir herencias y donaciones en efectivo, mandó creer en la Santísima Trinidad y aprobó el CREDO.

Decidió que sólo debía haber una sola Iglesia, prohibiendo la existencia de las otras Iglesias desperdigadas por el Asia Menor y el norte de África, a las que persiguó y declaró heréticas e ilegales para el Imperio Romano. Autorizó a la Iglesia a matar y desterrar a quienes no aceptaran las decisiones del Concilio de Nicea y clausuró solemnemente el Concilio repartiendo puestos públicos a los obispos con sueldos provenientes de las arcas imperiales. Y ordenó que en caso de morir lo enterraran como el Apóstol # 13.

¿Por qué se dice romana la Iglesia?

¿Hubiera seguido el Cristianismo sin Constantino?

● ●

En el Concilio de Nicea se enterró al Cristianismo y nació la Santa Madre Iglesia Católica. Y al morir Constantino, la Iglesia le heredó sus bienes, incluida su ropita de lujo y su Imperio Romano.

(Por ello es que la Iglesia se nombra Católica, Apostólica y... ROMANA.)

Sin Constantino, la Iglesia no hubiera seguido con vida, y se hubiera quedado como una oscura secta judía. Constantino la nombró la Religión Oficial Romana.

EL COLOR PÚRPURA USADO POR LOS PAPAS Y JERARCAS DE LA IGLESIA, ERA EL MISMO COLOR UTILIZADO POR CONSTANTINO.

¿Por qué falsificaron el legado de Constantino?

...NUESTRA RELACIÓN CON LA IGLESIA SE PUEDE RESUMIR ASÍ: TAL PARA CUAL...

A la muerte del emperador Constantino, la Iglesia sacó a la luz un documento supuestamente escrito por él, en el que aparecía donándole a la Iglesia TODA la ciudad de Roma y otros terrenitos de varios miles de kilómetros cuadrados, con autoridad sobre ellos y toda la cosa.

Con base en esos enormes terrenitos, la Iglesia empezó a construir su Imperio.

En el siglo XV, analizando la famosa DONACIÓN DE CONSTANTINO, se vio que era un documento totalmente FALSO... pero ya la Iglesia era un Imperio que dominaba a media Europa y nadie se atrevió a decir nada. Sólo "amén".

La estúpida leyenda de Constantino que tiene una visión de una cruz con la leyenda *In hoc signo vinces* (Con este signo vencerás) es una tontería anticristiana. ¿Cómo iba a ofrecerle Cristo a un emperador cruel y asesino un símbolo de amor y paz para que matara gente inocente?

¿Por qué culpó la Iglesia a los judíos de la muerte de Jesús sabiendo que fueron los romanos?

¿Quién inventó el antisemitismo?

¿La Iglesia no sabe que Jesús era judío?

Si Jesús vivió respetando y practicando la religión judía de sus padres, ¿por qué la Iglesia condenó esa religión?

Al aparecer en escena los judíos que se denominaban Cristianos, encabezados por Pablo el judío-romano, fue natural que los fariseos rabínicos los vieran con malos ojos: ese nuevo judaísmo que tenía como gurú a un judío que había sido crucificado por los romanos fue considerado como una HEREJÍA por todo el pueblo. Los otros "cristianos", los también seguidores de Jesús que habían sido sus discípulos, eran también vistos con malos ojos por los fariseos, quienes culpaban a esenios y zelotas de la destrucción del Templo y la nación judía en el año 70. Y la muerte de Jesús en la cruz destinada a los rebeldes contra Roma, lo ponía, junto con sus seguidores, en esa penosa situación de culpabilidad.

Pero los verdaderos enemigos de los judíos como pueblo, fueron los Cristianos Paulinos, que fueron la SECTA que se separó del Judaísmo e inventó el cuento de que Jesús era el Mesías a quien habían asesinado los judíos, para hacerse simpáticos a los romanos, los verdaderos asesinos de Jesucristo.

La separación entre judíos y cristianos se inició por esas dos causas: los seguidores de Pablo eran vistos como HEREJES. Y a los seguidores de Jesús se les veía como culpables de la destrucción de Israel.

En el precioso Memorial del Holocausto (Yad Vashem) levantado en Jerusalem, se exhibe una foto de un pueblo alemán donde aparece una gran cruz de piedra con Jesús crucificado, de la que colgaron este letrero:
"LOS JUDÍOS NO SON BIENVENIDOS AQUÍ".
¿Qué tal?

DESDE ESE MOMENTO SE VOLVIERON ENEMIGOS...

¡¡¡El Dios de los judíos era el Padre del Dios de los Cristianos!!!

PARA OBTENER CRÉDITO LOS CRISTIANOS PAULINOS SE APOYARON –VAYA PARADOJA– EN LA BIBLIA HEBREA, REMITIÉNDOSE A PRETENDIDAS PROFECÍAS, TRATANDO DE DEMOSTRAR QUE JESÚS ERA EL MESÍAS, HIJO DE DIOS QUE HABÍA RESUCITADO.

LOS CRISTIANOS PAULINOS PRETENDÍAN QUE DE AHORA EN ADELANTE LA VERDADERA RELIGIÓN JUDÍA ERA LA SUYA Y QUE EL ANTIQUÍSIMO JUDAÍSMO VALÍA MADRE... AUNQUE POR INTERESES EXTRAÑOS, EL DIOS DE LOS CRISTIANOS ERA EL MISMO DE ABRAHAM, JACOB, JUAN EL BAUTISTA Y LOS MACABEOS...

¿Por qué persiguió la Iglesia a los judíos, si Jesús nació, vivió y murió como judío?

• • • • • • • • • • • • • • • • • •

PARA EVITAR SER PERSEGUIDOS POR ROMA, LOS PRIMEROS CRISTIANOS PAULINOS SE DECLARABAN GENTILES, ES DECIR, SE LLAMABAN NO JUDÍOS.
POR ELLO, LOS DISCÍPULOS DE JESÚS –QUE NO SIGUIERON EN NINGÚN MOMENTO A PABLO– FUERON CRUCIFICADOS POR LOS ROMANOS, MIENTRAS QUE PABLO MURIÓ DECAPITADO EN ROMA, EN CIRCUNSTANCIAS MISTERIOSAS.
Nadie sabe por qué...

· ·

LOS JUDÍOS RECHAZARON EL CRISTIANISMO PAULINO, AL CONSIDERARLO UNA SECTA APÓSTATA Y HEREJE, FORMADA POR GENTILES MORAL Y CULTURALMENTE INFERIORES, QUE PRACTICABAN CONCEPTOS RELIGIOSOS INCREÍBLES (UN DIOS DE CARNE Y HUESO, UN NACIMIENTO VIRGINAL, UNA CRUCIFIXIÓN ABSURDA Y UNA RESURRECCIÓN IMPOSIBLE Y FABULOSA).

¿Por qué Dios sólo escogió a un pueblo como su elegido?

Es realmente sorprendente que Dios haya escogido al pueblo judío, el más ignorante, atrasado y peleonero de todos los existentes en esos tiempos, como su "pueblo elegido". Un pueblo que no había dado un solo filósofo, ningún escultor, ningún pintor, ni un solo sabio u hombre de ciencia, astrónomo o poeta. Hasta la fecha, los muchos judíos que han destacado lo han logrado dejando de creer y practicar su religión, vieja pero llena de barbaridades, absurdos, ridiculeces, falsedades y contradicciones.

· ·

¿Por qué abandonó Dios a los judíos?

Hasta ahora nadie me ha podido contestar ese misterio. Ni curas, ni obispos, ni teólogos. Vamos, ¡ni mi mamá!
Si usted tiene la respuesta a tan inquietante pregunta, le ruego me la haga llegar al
Apartado 165
Tepoztlán, Morelos.
CP. 62521

· ·

¿Por qué los judíos no creen en Jesús?

Los judíos esperaban desde años atrás un Mesías.

MESÍAS en hebreo significa "el ungido". MESÍAS en griego se dice CRISTO. Se ungía a los reyes, o sea que los judíos esperaban a un nuevo REY que restaurara la monarquía interrumpida tras el rey David.

Jesús NO fue rey, luego, NO fue el Mesías esperado por el pueblo judío, que esperó en vano.

En cambio la Iglesia, con San Pablo a la cabeza, se lo apropió como "Mesías elegido por Dios", iniciando el negocio más grande de todos los tiempos.

AL SER ARRASADA JERUSALEM Y DESTRUIDO EL TEMPLO, DEJÓ DE EXISTIR ISRAEL COMO NACIÓN. Y LOS HEBREOS SE PREGUNTABAN AZORADOS: ¿DIOS HA ABANDONADO A SU PUEBLO ELEGIDO? ¿QUÉ ONDA?

Cartel antisemita 1941

TODAVÍA, A ESTAS ALTURAS, EL PAPA INSISTE EN DECIR QUE LOS JUDÍOS SE DEBEN CONVERTIR AL CRISTIANISMO SI SE QUIEREN "SALVAR"...

¿Jesús se creía el Mesías?

Jesús NO se consideraba Redentor del Mundo, ni Mesías, ni Hijo de Dios, ni Salvador o Cristo. Ni lo consideraban así los primeros cristianos o sus discípulos. Su única pretensión era llegar a ser Rey de los judíos por tener sangre real de la casa del rey David, lo que finalmente le costó la vida crucificado por Roma. Por eso, dijo, su Reino sí estaba en este mundo, pero en los Evangelios le cambiaron todo lo que dijo, o la nueva religión NO hubiera sido nunca aceptada por Roma... Sólo hasta el siglo IV se le empezó a tratar así al establecerse el dogma de la "divinidad" de Jesús. ¡Qué ironía!

93

Cuando los cristianos, ya en el poder, se dedicaron a perseguir a los judíos, casi siempre para quedarse con sus bienes, muchos judíos "se volvían" cristianos para salvar sus vidas y hacienda. En España y Portugal, por ejemplo, ocurrió así y muchos judíos se "cristianizaron" y abrazaron la religión católica.

Pero no por gusto o convicción, sino obligados por aquella cristiana disyuntiva de: o te haces cristiano o te mueres...

Muchos de ellos, sin embargo, seguían practicando su judaísmo a escondidas, y cuando eran acusados ante la Inquisición de hacerlo, la santa institución los prendía, torturaba y quemaba vivos, no sin antes quitarles todos sus ahorritos y posesiones.

...Adonde vas NO te sirve de nada la lana, hijito...

Hasta hace muy pocos años, nadie tomaba en cuenta a los historiadores judíos en sus estudios sobre Jesús (su paisano) y el Cristianismo. Sólo recientemente se razonó que, si alguien puede hablar de Jesús, son... los judíos.

Actualmente existen cientos de estudios serios sobre Jesús el judío. Y en el Talmud se han hallado nuevas informaciones referentes al Maestro. Una de ellas, rechazada por tendenciosa, fue la de que un centurión romano llamado Pantera había sido el padre de Jesús al seducir a María. Pero otras nos hablan del judío defensor de la Ley y luchador contra la dominación romana. Habrá por fin que tomar en cuenta a los judíos, ¿no creen?

¿Puede haber Judíos cristianos?

Existen actualmente sectas de judíos que, aunque usted no lo crea, adoran a Jesús como si hubiera sido el Mesías esperado por el pueblo judío.

¿EN QUÉ SE BASAN PARA CREER EN JESÚS?

Resulta sorprendente que esos judíos se apoyen, igual que los cristianos, en los textos dizque proféticos de la Biblia judía, los textos de Daniel, Isaías, etcétera, que sabemos le han sido colocados casi a como dé lugar a Jesús, para "demostrar" así que era el Mesías esperado.

Esos judíos se nombran como JUDÍOS MESIÁNICOS, aunque los demás judíos los consideran JUDÍOS RENEGADOS.

¿Cómo adorar -dicen- a un judío por cuya culpa la Iglesia ha matado a millones de judíos?

....

"Jesús apenas dijo una sola palabra que NO pueda hallarse en la literatura rabínica judía."
Helmut Thielicke, teólogo.

¿Es posible que Dios sea mujer?

(En cuanto las mujeres se pongan vivas y funden una religión, les apuesto que DIOS será mujer.)

¿Por qué está la Iglesia contra las mujeres si dice que Dios eligió a una para tener un hijo?

¿Jesús dejó hijos?

La Iglesia ha callado discretamente el hecho de que Jesús andaba siempre rodeado por mujeres. Lucas lo señala:
"Acompañado de los doce y de algunas mujeres (...) de María por sobrenombre Magdalena, y de Juana y de Susana y DE OTRAS MUCHAS que le asistían con sus bienes".
Nadie puede negar que su trato con prostitutas escandalizaba a los ortodoxos, ni que al morir, al pie de la cruz estuvieron puras mujeres acompañándolo.

96

¿Casado? ¿Con hijos?
De acuerdo con varios textos de los Evangelios, a Jesús se le llama "rabino". Y es posible que lo haya sido o no se explicarían sus grandes conocimientos de la Ley Judía. Y los rabinos por regla general se casaban y tenían hijos. Pero como los Evangelios han resultado ser una negación de la historia y una falsificación de la vida de Jesús, nunca se va a saber a ciencia cierta, cuál era su estado civil. Si era casado o si ejercía sin título...

¿Por qué rechaza la Iglesia a l@s homosexuales?

¿Juan, el discípulo amado, era *gay*?

Los y las homosexuales a quienes la Iglesia rechaza, sin tomar en consideración que una buena cantidad de sacerdotes y monjas lo son, aducen como pruebas de que Dios siempre ha aceptado la homosexualidad, lo que aparece en la Biblia. Por ejemplo, -dicen- la relación entre Jesús y Lázaro, entre David y Jonatán o entre Jesús y Juan en la llamada Última Cena. ¿Y qué tal la relación entre Ruth y Noemí? Señalan también a su favor la antiquísima tradición homosexual entre los pueblos del Medio Oriente y el hecho histórico y comprobado de varios papas homosexuales.

Los grupos *gay* alegan a su favor que el joven Juan (el discípulo amado, no el Bautista) era del otro bando. Que por esa razón se recostó en el pecho de Jesús. Lo que involucraría TAMBIÉN a Jesús como del mismo equipo. La otra tesis es que, si Juan era su hermano menor, la recostada tendría otra explicación...

 En la gráfica puede verse la forma como la Iglesia trataba a los homosexuales para volverlos personas de la normalidad cristiana. Con las mujeres hacían lo mismo, con el resultado de que, si bien no se volvían "normales", al menos dejaban de ser anormales al morirse.

97

Para analizarlos debidamente y sin la metiche inspiración del Santo Espíritu, los más serios estudiosos de los Evangelios fundaron el famoso:

El "Jesús Seminar"

. . . .

De 1991 a 1996 se estuvieron reuniendo en Santa Rosa, California, de 50 a 80 panelistas expertos en los Evangelios, estudiosos de varias Iglesias cristianas, escritores, investigadores y *scholars*, como les dicen en inglés. Todos con títulos y doctorados, gente seria pues. (También concurrieron famosos teólogos judíos, que en los últimos años han estudiado con rigor rabínico el Nuevo Testamento y la figura de Jesús.) Esos acontecimientos recibieron el nombre de "JESÚS SEMINAR". Algunas de sus conclusiones:

¡CONJURA JUDEO-CRISTIANA!

*
QUE NINGUNO DE LOS EVANGELIOS ES AUTÉNTICO
*
QUE EL CRISTO DEL CREDO Y EL DOGMA, TAN USADO EN LA EDAD MEDIA, HA DEJADO DE TENER VALIDEZ HISTÓRICA.
*
QUE EL 80% DE LOS EVANGELIOS ES PRODUCTO DE LA IMAGINACIÓN DE QUIENES LOS HICIERON O DE LOS COPISTAS.
*
QUE BUENA PARTE DE ELLOS ES COPIA MALINTENCIONADA DEL VIEJO TESTAMENTO.
*
QUE SÓLO UN 18% DE LO QUE LE ATRIBUYEN A JESÚS HABER DICHO, LO DIJO REALMENTE.
*
QUE NINGÚN MILAGRO ES ATRIBUIBLE A JESÚS.
*
QUE NO PREDICÓ EL SERMÓN DE LA MONTAÑA.

QUE DE TODO LO QUE SE DICE SOBRE SU NACIMIENTO, LO ÚNICO CIERTO ES EL NOMBRE DE SU MADRE...

QUE LA MAYORÍA DE SUS DICHOS LA TOMARON DEL LIBRO DE LOS SALMOS...

QUE LAS PALABRAS QUE "DIJO" EN LA CRUZ LE FUERON VILMENTE INVENTADAS...

(LO QUE DEMUESTRA EL CASI INFINITO DESCONOCIMIENTO DE LOS FIELES SOBRE SU RELIGIÓN.)

En cuanto al libro llamado la Biblia, *es una blasfemia llamarlo "palabra de Dios". Es un libro de mentiras, falsedades y contradicciones y una historia de tiempos malos y gente mala.*

THOMAS PAINE

¡QUÉ POCA MADRE IGLESIA!

99

¿Por qué quemaron los cristianos la Biblioteca de Alejandría?

En el año 391 los cristianos instigados por el entonces obispo Cirilo, quien sería canonizado como San Cirilo, quemaron la gran Biblioteca de Alejandría, uno de los últimos depósitos de la sabiduría y el conocimiento antiguos. Contaban con el apoyo del emperador "cristiano" Teodosio I, por lo que nadie fue castigado por ese crimen contra la humanidad. Y de paso, mataron con lujo de crueldad a la notable matemática, filósofa y astrónoma neoplatónica, Hipatia, sólo por ser mujer y gnóstica.

En la biblioteca se hallaban todas las obras del conocimiento, elaborado de esa época, de Grecia, Roma, Turquía, Egipto y el mundo árabe. Pero también toda la literatura cristiana primitiva, que había sido declarada herética por la Iglesia. Todo ardió, quemado por el fanatismo nuevo que predicaba la nueva Iglesia paulista ya establecida como supremo poder en el mundo: el Catolicismo romano.
....

CUANTO MÁS IRRACIONAL ES UN CULTO, TANTO MÁS SE TIENDE A ESTABLECERLO POR LA VIOLENCIA. LOS QUE PROFESAN DOCTRINAS INSENSATAS, NO PUEDEN SUFRIR QUE SE LES JUZGUE TAL COMO SON. ASÍ EL HECHO MISMO DE RAZONAR SE CONVIERTE EN EL MAYOR DE LOS CRÍMENES, POR LO QUE CONVIENE ELIMINAR A TODA COSTA A TODOS AQUELLOS QUE TIENEN EL VALOR DE AFRENTAR SUS IRAS.
Montesquieu
....

God is love.

¿Cuándo y cómo designó Jesús a San Pedro sucesor?

● ● ● ● ● ● ● ● ● ● ● ● ● ● ● ●

La Iglesia está fundada sobre una enorme falseda: la figura de Pedro el apóstol, más conocido como San Pedro. Deformando los textos de los Evangelios, la Iglesia ha hecho creer a la borregada que le cree todo, que Jesús nombró a Simón Pedro como sucesor suyo y gerente ejecutivo de "su" Iglesia. Todo lo basan en esta supuesta declaración: ***"TÚ ERES PEDRO Y SOBRE ESTA PIEDRA EDIFICARÉ MI IGLESIA".*** Sin embargo, si analizamos el versículo detenidamente, podemos ver que la Iglesia NO debía ser construida sobre Pedro, sino sobre Cristo. Existen en los mismos Evangelios versículos que hablan de la PIEDRA en relación con Cristo, no con Pedro. Y en uno de esos versículos, el mismo Pedro declaró a la prensa que Cristo era la roca del fundamento. Y otra voz autorizada, el mismísimo San Pablo escribió: "...PORQUE NADIE PUEDE PONER OTRO FUNDAMENTO QUE EL QUE ESTÁ PUESTO, QUE ES JESUCRISTO..." (1 Cor. 3:11).

¿Por qué los mismos apóstoles no reconocían a Pedro como su superior?

¿Por qué inventó la Iglesia que San Pedro murió en Roma, si nunca estuvo allí?

Nunca pretendió Jesús poner a Pedro por encima de los demás apóstoles, ni pretendió que ningún otro lo estuviera. "Ninguno de vosotros debe hacerse grande sobre los demás", dijo Jesús.

Y por otro lado:
Él hablaba en arameo, no en griego. ¿Cómo podía usar la palabra PETROS (piedra en griego) y hacer ese preciso juego de palabras para designar a Pedro -que en arameo es CEFAS- como la "piedra" donde basaría su Iglesia? En todos los Evangelios la palabra *ecclesia* sólo se menciona en 2 ocasiones, y en ninguna de ellas es para designar una nueva religión. Porque Jesús NO PRETENDIÓ NUNCA FUNDAR OTRA RELIGIÓN.

Pues tanto Jesús como Pedro practicaban la Ley e iban al Templo. Y Pedro siguió así. Murió Jesús y sus discípulos SEGUÍAN siendo judíos practicantes y respetuosos de la Ley. Pero hay otro pequeño detalle que demuestra la falsedad de todo lo dicho por la Iglesia: PEDRO NUNCA ESTUVO EN ROMA NI FUE OBISPO DE ROMA DURANTE 25 AÑOS, NI MURIÓ AHÍ. ¡NI FUE EL PRIMER PAPA!

SI SAN PEDRO HUBIERA VIVIDO Y MUERTO EN ROMA, ¿POR QUÉ LA PRIMER IGLESIA QUE SE HIZO EN ROMA FUE LA DE SAN JUAN?

La neta es que Pedro nunca fue Obispo, ni Papa, ni fue a Roma, ni murió ahí.

Apenas en el año 230 se habla de San Pedro como el "sucesor" de Jesús. En los textos de los primeros cristianos NUNCA se habla de San Pedro como obispo siquiera, mucho menos como el sucesor de Cristo.

San Pablo, mancuerna de San Pedro según la Iglesia (otra falsedad, pues no se llevaban bien por cuestiones ideológicas) estuvo preso en Roma del año 62 al 67 y escribió en la cárcel muchas de sus Epístolas. Por esas fechas, según la historia de la Iglesia, San Pedro YA ERA EL OBISPO DE ROMA Y PRIMER PAPA DEL IMPERIO CRISTIANO y, sin embargo, San Pablo, preso en Roma... ¡ni lo menciona en sus Epístolas!

Otra falsedad: según la Iglesia San Pedro murió en Roma el año 66. PERO... el incendio de Roma fue el año 64, y hay una carta de Pedro escrita a los cristianos de Roma donde les habla "del incendio que hubo entre vosotros", carta escrita desde Antioquía seguramente, donde residía el Apóstol. ¿Entonces?

Los historiadores serios han demostrado que Simón Pedro y Santiago el Mayor fueron crucificados juntos en Jerusalem bajo Tiberio Alejandro, el año 47.

¿Qué significan las "llaves" de San Pedro?

"Y A TI DARÉ LAS LLAVES DEL REINO DE LOS CIELOS, Y TODO LO QUE ATARES EN LA TIERRA SERÁ ATADO EN EL CIELO..." Según la Iglesia, al decirle eso Jesús a Simón Pedro, lo designó como su Jefe Supremo en la Tierra, aunque nadie sabe con seguridad quién puso esas palabras en boca de Jesús, estableciendo así una MONARQUÍA ABSOLUTISTA MÁS PODEROSA QUE EL IMPERIO ROMANO. Por eso en el escudo del Vaticano aparecen unas llaves que son, dicen, las del mismo Cielo, donde el traidor San Pedro es el portero.

¿Los primeros cristianos vivían en catacumbas?

Es puro cuento de Hollywood y los novelistas. Las catacumbas que hubo en el siglo II en Roma, eran sólo cementerios donde se enterraba a **toda** clase de gente cristiana o no. Pretender que ahí fueron enterrados medio millón de cristianos, es otra de las piadosas falsedades de la Iglesia católica, lo mismo que la pretendida tumba de San Pedro, el llamado "Padre y primer Papa", que ni siquiera estuvo en Roma.

¿Sabía usted que Nerón perseguía a los cristianos por judíos revoltosos y no por cristianos?

Al pobre de Nerón le cargaron más pecados de los que cometió en su reinado. Si bien cometió algunos excesos en el ejercicio del poder -lo usual en cualquier emperador romano- se ha olvidado que fue uno de los más destacados promotores de la cultura, patrocinador de las bellas artes, reformista de leyes de beneficio popular, constructor de magníficas obras arquitectónicas, claro defensor del Imperio y alumno del sabio filósofo Séneca.

La historia moderna ha descubierto que don Nerón, uno de los emperadores más jóvenes que tuvo Roma, no fue el feroz, cruel y loco gobernante que pintaron sus enemigos. Ni que quemó Roma, ni que fue el bárbaro perseguidor y asesino de los primeros cristianos.

La Iglesia le inventó toda una leyenda negra presentándolo como el Anticristo, pero los historiadores objetivos del siglo veinte descubrieron sorprendidos que Nerón NO fue tan peor como lo pintó la Iglesia.

► *A Nerón se le ha achacado el incendio que casi destruyó a Roma y que mientras la ciudad ardía él estaba tan tranquilo tocando el arpa y berreando canciones, cuando la Historia ha demostrado lo contrario: que fue uno de los que más lucharon por apagarlo y más se empeñó en reconstruir la ciudad.*

¿Sabía usted que los "mártires del Cristianismo eran judíos enemigos de Roma?

¿Por qué los primeros cristianos no hablaban de Jesús como "Hijo de Dios"?

● ●

Los romanos toleraban a todas las religiones y en Roma se podían encontrar templos dedicados a Isis junto a otros en honor del dios Mitra. Los primeros cristianos pudieron practicar sus ritos esenios sin temor de ser perseguidos por nadie.

A cambio los romanos perseguían sin tregua, uno: a los que se hacían patos en pagar el tributo al César, y dos: a los que conspiraban con violencia o sin ella contra el Imperio Romano.

Nerón, como lo hicieron todos los emperadores romanos, persiguió con saña a esos conspiradores, PERO NO PORQUE FUERAN CRISTIANOS, sino por ser JUDÍOS opositores a Roma.

Los primeros cristianos, o sea los que seguían a Jesús durante los dos primeros siglos, lo veían como a un Maestro de la Ley judía que había tratado de reformarla y limpiarla de corrupción y burocracia. Jesús era considerado como un luchador social muerto en la cruz por oponerse al *Establishment*, como se dice ahora. Pero nadie pensaba en él como un Hijo de Dios. ¡Ni siquiera se le representaba crucificado !

Los primeros cristianos simbolizaban a Jesús con un PESCADO, luego como un CORDERO. Sólo hasta el siglo VIII aparece la imagen de un Jesús crucificado y ya santificado como Hijo de Dios. Los primeros cristianos, no olvidarlo, eran medio esenios, perseguidos por seguir a un revoltoso predicador de igualdades. Y vivían bajo un Comunismo primitivo. Fueron los primeros cristianos... y los últimos.

107

¿Por qué les robó la Iglesia a los judíos su Biblia y sus ritos religiosos sin pago de derechos de autor?

¿Cuántos santos ha inventado la Madre Iglesia?

La dizque Santa Madre Iglesia, no sólo se quedó con la Biblia de los judíos, sino que también se apoderó de sus profetas y héroes, de sus ritos y ceremonias, de muchos de sus cantos y salmos. Y en el colmo del robo intelectual, canonizó a cuanto personaje bíblico encontró para incorporarlo al santoral católico. Así tenemos a San Eliseo, Santa Edith, San Salomón, Santa Ana, San Joaquín, San Moisés, San Saúl, San Rubén, San Isaac, San Abraham, San Josué, San Neftalí, San Joel, San David, San José, Santa Judith y hasta a los inexistentes Gabriel y Miguel. A Sansón no lo pudieron declarar santo por problemas cacofónicos.

Jehová prohibió terminantemente el culto a imágenes de dioses y divinidades. Como se supone que el Dios de los cristianos es el mismo Jehová de la Biblia (¿o no?), la Iglesia ha estado violando la Ley divina al establecer en sus negocios llamados iglesias, el culto a los santos y vírgenes en forma de ídolos de piedra, madera y últimamente hasta de fibra de vidrio y resinas.

La Iglesia en realidad sólo les cambió el nombre a las divinidades paganas de los romanos y de otros pueblos, canonizándolos y poniéndoles nombres supuestamente cristianos. Todo para ganarse como clientes a los que adoraban a esas antiguas deidades de otros pueblos distintos al pueblo judío.

¿Como cuántos dioses le robó la Iglesia a Roma?

Por ejemplo, la diosa Victoria que veneraban en los Bajos Alpes fue nombrada como Santa Victoria. La famosa diosa Osiris fue bautizada como Santa Onofria. El dios Cherón como San Cesarino, Apolo como San Apolinar, el famoso Dionisio como San Dionisio y hasta el dios Marte se llamó ahora San Martín.

Y así por el estilo:
Brighit = Santa Brígida
Artemis = San Artemio
Hermes = San Hermeto
Flava = Santa Flavia
Astrea = Santa Asunción
Soter = San Sotero
Júpiter Nicephor= San Nicéforo
Príapo = San Fiacro

Y en la cúspide del frenesí santificador, canonizaron hasta el saludo romano "PERPETUA FELICITAS" del que resultaron dos santas: Perpetua y Felícitas. Lo mismo pasó con la fiesta romano-pagana llamada ROGARE ET DONARE que se volvió el día de los santos Donaciano y Rogaciano (el huapanguero).

¡La Iglesia quería a como diera lugar tener dedicados TODOS LOS DÍAS DEL AÑO a algún santo cristiano, pensando además -of course- en el estupendo negocio que representa cada santa o cada virgen! Iglesias, estampitas, medallas, oraciones especiales, rosarios, venta de reliquias,etc. (más escandalosos detalles en mi CRISTO DE CARNE Y HUESO).

¿Sirve de algo rezar a los santos?

El escándalo de santas y santos que jamás existieron, pero que igual eran adorados como si fueran diosecitos, obligó al Vaticano en 1972 a declarar *urbi et orvi* que borraba del santoral a más de 200 santos que NUNCA existieron, aunque al mismo tiempo declaró que la cristiandad podía seguirlos venerando como si nada. (El negocio antes que nada, monseñor.)

Lo que esperamos que haga el Vaticano algún milagroso día, es que declare inexistentes las apariciones de los cientos de Vírgenes (católicas) como la de nuestra Tonantzin-Guadalupe. Lástima que no existan los milagros...

109

¿Por qué se contradice la Iglesia con lo que manda Dios en la Biblia?

Los israelitas, no sólo debían destruir los ídolos de las naciones gentiles que conquistaban, sino que, además, debían «destruir todas sus pinturas» (Números 33:52). Éstas eran las pinturas de las divinidades paganas. De modo que no solamente es condenado por las Escrituras el uso de los ídolos, sino que como las pinturas son veneradas con frecuencia en forma supersticiosa, éstas tampoco tienen virtud alguna como culto verdadero. Es extraño que algunas religiones condenen el uso de las estatuas y, sin embargo, ¡hagan uso pleno de pinturas de las mismas! ¿Pero cuál es la diferencia? La estatua es tridimensional mientras que la pintura es una superficie plana. Pero ninguna fue usada por los apóstoles o la Iglesia del Nuevo Testamento. No fue sino hasta el siglo V que las pinturas de María, Cristo y los «santos» o los iconos o imágenes de relieve comenzaron a hacerse y a usarse como objeto de adoración.

Y así como los paganos ponían un redondel o aureola sobre las cabezas de sus dioses, de igual manera la Iglesia apóstata continuó esta práctica, y así puede verse cómo San

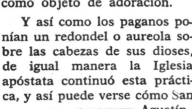

¿Por qué se adoran imágenes en la Iglesia si Dios lo prohibió?

Agustín es representado en libros católicos con un disco sobre su cabeza. Todos los «santos» del catolicismo se representan igual. Para ver que esta práctica fue tomada del paganismo debemos notar el dibujo de Buda, el cual tiene, también, el símbolo del redondel alrededor de su cabeza.

¿Cómo está enterrado Santiago en España si nunca estuvo allá?

Todo mundo ha oído hablar de SANTIAGO DE COMPOSTELA, un famoso santuario ubicado en la ciudad de Compostela y donde, según la tradición, está enterrado el cuerpo del apóstol Santiago el Mayor, hermano de Jesús. Santiago es el Patrón de la muy católica España y según la tradición, con su apoyo las huestes cristianas derrotaron a los árabes en 1212 expulsándolos del país donde habían vivido durante ocho siglos.

¿Cómo llegó el Santo Señor Santiago a España? Es toda una leyenda. Algunos dicen que Santiago, a la muerte de Jesús, se fue a evangelizar España, mientras otros aseguran que unos ángeles llevaron volando el cuerpo ¿por Iberia hasta España?

● ● ● ● ● ● ● ● ● ● ● ●

La cuestión es que la Historia ha demostrado que Santiago fue crucificado junto con Pedro en Jerusalem en el año 47 bajo el reinado de Tiberio Alejandro. O sea que nunca estuvo en la Península, hasta que milagrosamente su cuerpo apareció en España por el año 812 y se le levantó tremenda iglesia donde miles de peregrinos van a rezar y dejarle pingües limosnas.

Sería interesante que la Iglesia permitiera exhumar el que dicen ser el cadáver del hermano de Jesús, a ver si con los últimos descubrimientos superiores al Carbono 14 se sabe de qué año son los famosos huesos. 111

¿Dónde quedan el Cielo y el Infierno?

• • • • •

¿Cómo va a sufrir un alma las penas del Infierno si es puro espíritu?

Brueghel

¿Por qué se le hace tanta publicidad al Cielo?

Otro de los "misterios" que maneja la Iglesia (llaman Misterio a todo para lo que no tienen explicación lógica) es eso de los sufrimientos del Infierno y los goces del cielo.

Si un alma es puro espíritu, es lógico y razonable que no sienta ni cosquillas, ni nada. O sea, el alma ni sufre ni se acongoja, sino todo lo contrario. Si formara parte del cuerpo humano, sería cualquier cosa menos alma. Entonces no se apuren, almas de Dios: no hay Cielo ni Infierno, ni sufrimientos que temer. Gocen lo que puedan y punto.

¿No se aburre Jesús de estar siempre "sentado a la diestra de Dios padre"?

La Iglesia nunca ha hecho una buena publicidad sobre las ATRACCIONES CELESTIALES. ¿Qué hay en el Reino Aventura de los Cielos? ¿Qué clima hay? ¿Qué música tocan? ¿Hay bailes o *table dance*? ¿Hay juegos mecánicos o casetas para pegarle al Diablo? Lo único que dicen es que ir al Cielo tiene como principal (y único) atractivo "ver a Dios eternamente". Así que don Jesús, que gustaba tanto de caminar sobre el agua y juntarse con Maríasmagdalenas, se debe dar unas aburridas de padre y señor suyo...

Con el pretendido Infierno pasa lo mismo que con el Cielo: nadie ha regresado de ambos lugares para contar cómo es aquello. ¿Dónde queda entonces el infierno? A veces en el hogar conyugal, aunque no viva la suegra con la pareja... De cualquier modo, nadie quisiera ir a pasar sus vacaciones eternas donde no estuvieran sus cuates y conocidos. 113

Dijo alguna vez María Sabina, la sabia india oaxaqueña que manejaba los hongos alucinantes, que ella no creía en el Infierno: "Yo no creo en el infierno. Sólo las personas malas creen en ese mundo".

¿Quién inventó el Purgatorio?

Busque usted en toda la Biblia y en todo el Nuevo Testamento la palabra "PURGATORIO" a ver si la encuentra. Para ahorrarle su tiempo le informamos que NO se encuentra en ninguna página.

¿Quién inventó entonces tan subtropical sala de espera? Seguramente fue en el Concilio de Trento, que fue cuando se soltaron el pelo los obispos inventando dogmas y misterios.

¿Qué es el Purgatorio?

Según la SMI es un lugar intermedio entre el Cielo y el Infierno, donde las almas (*sic.*) esperan el resultado del juicio al que todo muertito es sometido (¿por quién? Sepa...) después de su muerte. Hay individuos tan buenos, que se van derechito al Cielo sin juicio. Y pésimos, que van al Infierno luego luego. Pero si no, entonces van al cálido PULGATORIO.

¡Olvidábamos algo muy pero muy importante! Hay también un Purgatorio infantil que se llama EL LIMBO, en dónde no logramos saber si hay columpios y resbaladillas.

NO: LOS DE LA DEMOCRACIA CRISTIANA SE VAN PRIMERO AL PURGATORIO...

¿Existen los ángeles y arcángeles?

¿...Y EL CHIVO EXPIATORIO?

Los griegos, si no es que antes de ellos, crearon a unos seres mitológicos con alas, que trabajaban como mensajeros de los dioses. Uno de ellos se llamaba EROS (o Cupido) y andaba llevando cartitas y flores a las chavas que los dioses se querían recetar. La Iglesia, siempre tan práctica, los adoptó bautizándolos con nombres terminados en "el": Gabriel, Gamaliel, Rafael, Miguel, Luzbel (que pidió más sueldo y lo corrieron), y otros menos conocidos, sin pagarles regalías a los griegos.

Las últimas apariciones de los ángeles se dieron durante los años que narran los Evangelios. Después ya no se ha sabido de ellos, lo que no obsta para que la Iglesia siga considerándolos santitos y vendiendo estampitas y oraciones.

Para decirlo en términos nada teológicos, ángeles y arcángeles son puro cuento mitológico...

115

¿Y el famoso Diablo?

San Luzbel, antes de "rebelarse" contra Dios.

La misma persona que crea o inventa a un dios, crea o inventa al mismo tiempo al Diablo. ¿A quién culpar de todo lo que está mal hecho en el mundo? ¿En quién descargar el sufrimiento, la angustia, los crímenes o la violencia que hay en el mundo? Ah, pos en el Diablo...

A Dios se le achaca todo lo bueno y al pobre Diablo todo lo malo. Así de fácil. Así ha sido desde que el hombre sintió la necesidad de creer en algo que no entendía. Para hacer una película se necesita -siempre- hacer un héroe, el muchacho de la película, y un villano.

Si hay Dios, también hay Diablo. Y si no lo hay, pues tampoco lo hay. Recuerden en la Biblia cuando el Edén. ¿Quién la hizo de villano? La serpiente, que se puso a alborotar a los felices por ignorantes Adán y Eva. Así de sencillo: Dios es el Bien, Satán el Mal. Satán era la serpiente.

¿En qué parte del cuerpo se encuentra el alma?

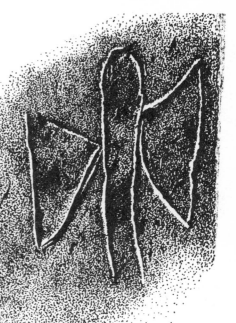

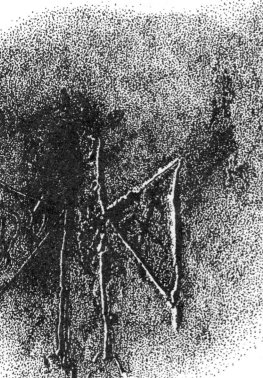

Extraños dibujos en la Catacumba de Beth Shearim representando dos almas. Los fariseos, siguiendo las teorías griegas, creían que después de la resurrección el alma se volvía a meter en el cuerpo.

....

Eso del ALMA no nació con el cristianismo; su origen más bien es griego y tuvo sus orígenes en las enseñanzas pitagóricas, que creían en la transmigración, la liberación del "alma" de su carcelario cuerpo material, etc. Los pitagóricos influyeron en Platón, y éste en los Padres de la Iglesia, y así la idea de un alma distinta del cuerpo, pasó a formar parte de la doctrina cristiana. En un tiempo incluso la Iglesia manejó la idea de la reencarnación, pero finalmente la consideraron herética.

¿Que dónde se ubica el alma dentro del cuerpo? Nadie lo ha podido averiguar todavía. 117

¿Quiénes son los santos?

• • • • • • • • • • • •

¿Dónde está el negocio de las canonizaciones de santos y beatos?

El gran negocio de las CANONIZACIONES consiste en el mercadeo que se puede hacer con el santito. Su iglesia, sus estampitas, sus figuritas de yeso o madera, sus oraciones, sus libros biográficos y no se diga sus santísimas reliquias.

Se toma, por ejemplo, una camisa del "santo" y se la parte en chorrocientos pedacitos, cada uno de los cuales se añade a la foto o pintura del susodicho y se vende como pan caliente. Sobre todo si previamente se le fabrica una fama de santo milagroso especializado en curar los males del hígado o la próstata.

nos faltaba -¡qué olvido!- sus limosnas, sus misas solemnes de cumpleaños, sus cánticos especiales... y sus medallas.

Los "santos" según la Iglesia son seres humanos que dieron su vida por su religión o que llevaron una vida ejemplar, y a su muerte se les declara como "santos" (o santas), mediante un proceso que se llama CANONIZACIÓN.

Y ya siendo santos que supuestamente viven en el Cielo junto a Dios, se les puede rezar para pedirles que intercedan por nosotros ante Dios y nos conceda así algún favor. ▶

Pero si tratamos de comunicarnos con los muertos, ¿no caemos en el pecado que condena la Iglesia como "espiritismo"? La misma Biblia condena todo propósito de comunicarnos con los muertos, al considerarlo "un acto satánico". ¿Entonces? ¿Por qué recomienda la Iglesia la veneración a los santos? Porque es buen negocio.

Solidaridad   Trabajadores de Todo el Mundo

Hasta el Cielo elevamos nuestra muy decidida y enérgica protesta en contra de la ..ocrática clase patronal que niega la Justicia Social sobre la faz de este Planeta Tierra

NOSOTROS, Los Santos y Santas despedidos injustificadamente de nuestro cotidiano ..jo manifestamos ante la H. Opinión Pública, ser víctimas de un diabólico complot, ..do por los ahitos burócratas de la Empresa Mercantil en la que hemos prestado ..tros humildes servicios durante casi 2,000 años.

.. Santos cesados arbitrariamente hemos decidido UNIFICARNOS para la defensa per- ..ente de nuestros Derechos Laborales., Con gran cinismo la Empresa VATICANO S .. E C. V Y R L. dice que nunca hemos existido, después de habernos explotado durante ..lenios. Con gran espíritu negrero nos hacia trabajar de siglo a siglo sin darnos ..nsos y Vacaciones, sin pago de horas extras, y con constantes exigencias de hacer ..gros, milagros y más milagros, ahora que ya ni de chiripa nos sale un milagrito, somos ..ados a la calle como cualquier obrero cordelero

En democrático cónclave acordamos demandar a la próspera razón Social, Vaticano .. y a su Gerente General, Paulo 6. a lo siguiente.

Reposición en nuestros empleos Patronatos y comisiones.
Pago de Salarios caídos al 100 por ciento.
Respeto a nuestros escalafonarios.
Descanso del séptimo año con salario íntegro.
10 años de vacaciones cada siglo.
Reconocimiento de nuestra Organización Sindical.

Santos de Todo el Mundo, Uníos
POR EL COMITE DE LUCHA

El Secretario General.

San Cristóbal

Srio de Conflictos   Srio. de Acuerdos y Prop·   Srio de Actas.
San Martín   San Hipólito   San Mauro

. de Rels Obreras   Sria de Acción Femenil   Srio de Acción Campesina
..an Plácido   Santa Ursula   SanIsidro Labrador

.. O C A L E S: San Pablo el Hermitaño, Sta. Domitila, Santa ..udencia, San Martín de Porra, Sta. Prudencia, Sta. Gumersinda. San .. desto, Sta. Cresencia, Sta. Margarita, Los 11,CCO Vírgenes (?), Santa Anastacia y Santa Claus.

¿Por qué hay tantos símbolos paganos en la Iglesia?

¿Cómo es eso de la Santísima Trinidad?

La Iglesia se apropió de Roma todo esto:
El uso de las velas
Las fiestas de guardar
Los días de ayuno
Las imágenes sagradas
El culto a la Virgen
El culto a las reliquias
El agua bendita
El matrimonio religioso
Las figuras diabólicas.

La famosa y ridícula versión de la Santísima Trinidad, o el dios Tres en Uno, fue tomada de las antiguas versiones fenicia e hinduísta. Como dato curioso hay que señalar que el no menos famoso profeta Mahoma la tomó del Islam, pero no la entendió bien y anotó como miembros de su Trinidad a Dios Padre, Dios Hijo y... Diosa Madre, la Virgen María...

Y DE LOS JUDÍOS:
Las hostias
Las peregrinaciones
Las Escrituras
Las vestimentas
Los cánticos
Los héroes, a los que "canonizó".

La Trinidad hindú, como se sabe, la forman hasta la fecha Brahma, Vishnú y Shiva, al que no hay que confundir con las Chivas del Guadalajara.

El origen del báculo que usan los obispos y del símbolo con que los primeros cristianos representaban a Jesús, es copia fiel del símbolo con que los egipcios representaban al Dios Horus.

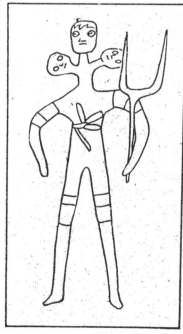

Vista completa de la Santísima Trinidad fenicia.

¿Por qué alienta la Iglesia las supersticiones?

La Iglesia se ha pasado la vida condenando a los pueblos "paganos e infieles" que viven llenos de supersticiones y falsas creencias. Lo curioso es que no se muerde la lengua al predicar contra las supersticiones.

En los Evangelios y en las enseñanzas de la Iglesia se habla de ángeles, espíritus santos, espíritus malignos, muertos que resucitan u hostias que contienen el cuerpo de Dios.

¿Alguna diferencia de esas creencias con las que viven los aborígenes australianos o los salvajes de Papúa y Nueva Guinea? La Iglesia organiza sus procesiones con un Cristo para hacer que llueva, pero mató y destruyó a los indios que hacían lo mismo con Tláloc calificando sus ritos como "supersticiones del mismísimo demonio".

¿Cual ídolo es el bueno?

DETENTE ESTÁ CONMIGO

LA SANTA IGLESIA, EXHORTA a los CATÓLICOS

SAN IGNACIO

SAN IGNACIO DE LOYOLA tiene imperio contra los demonios, según lo dice la Iglesia en su Oficio IN DEAMONES MIRUM EXERCUIT IMPERIUM. Por lo cual es costumbre poner en las puertas de los aposentos, por la parte de adentro, esta Cédula, el mismo demonio dijo una vez, no puedo entrar si no quitas la Cédula puesta en tu puerta. Yo suelo aconsejarles en las misiones contra asaltos e infestaciones del enemigo y SATANÁS

(en P. Calatayud, S.J.)

PEGUEN EN LA PUERTA DE SU CASA ESTA CÉDULA

DE LOYOLA

¡SATANÁS! DETENTE:

¡NO ENTRES!

"En Roma y Padua, echando de los cuerpos por virtud de San Ignacio, exclamó el demonio dando bramidos: NO ME MENTÉIS A SAN IGNACIO QUE ES EL MAYOR ENEMIGO QUE TENGO EN EL MUNDO.

(Con licencia Eclesiástica)

¿Por qué bendicen los curas todo tipo de negocios, hasta prostíbulos?

Bendecir el coche, el changarro o la casa de citas, ha sido una de las tradiciones más queridas de la Iglesia desde hace siglos. También bendicen las bombas, los tanques, los aviones de guerra, los bancos, las penitenciarías, las casas de los narcos, las discotheques, las cantinas y bares (yo lo he visto) y hasta los burdeles elegantes, como lo hizo Mons. Luis María Martínez en los 50 y de lo que hay fotos que lo comprueban.
Nada se salva de ser bendecido con su agua bendita y unas ininteligibles oraciones.
¿Sirve de algo? Claro que sí: las bendiciones se cobran...

¿Se puede lograr que llueva con una procesión?

Sólo si algún pariente o amigo del curita que encabeza la procesión trabaja en el Instituto de Meterología o entrando por Internet al *Weather Chanel*, es posible lograr que llueva con una procesión a San Isidro el Hablador (¿O Labrador?)

Litografía para ser tragada por los enfermos, Alemania, s. XIX.

¿Por qué se guarda el domingo y no el sábado, como lo hacía Jesús?

(DOMINGO en inglés, alemán y otras lenguas significa "día del sol".)

Los judíos como se sabe, guardan el sábado religiosamente. Nadie trabaja y aunque se esté quemando la casa, no mueven un dedo para apagar las llamas. Así lo manda Jehová y punto. Pero cuando la Iglesia decidió no ser identificada con la Ley judía, aceptó la orden del emperador Constantino de cambiar el descanso sabatino a los domingos, que era el día en que descansaban los paganos. Así, la Iglesia cristiana adoptó una costumbre pagana sin pensarlo demasiado...

Monograma egipcio del dios Isis Inmortal con las letras Alfa y Omega. Abajo, la copia cristiana para Jesucristo.

¿Quién inventó la Navidad?

La fiesta de la Navidad se empezó a celebrar hasta el año 354, cuando el emperador Constantino lo decretó así y declaró que el día festivo ya no sería el SÁBADO de los judíos, sino el DOMINGO de los romanos de su Imperio.

¿Por qué comer los viernes pescado?

AMULETO
EGIPCIO CON
PEZ Y CRUZ

En las viejas religiones paganas el PEZ era el símbolo de la fertilidad. Las estatuas de la diosa Venus iban acompañadas de un pez, como diosa madre que era considerada. Su día de ser venerada era los viernes, que significa día de Venus.

Para ganarse clientela entre los paganos, la Iglesia asumió como práctica "cristiana" respetar los viernes no comiendo carne, sino pescado, diciendo que era por recuerdo a que Jesús murió en la cruz un VIERNES, lo que aquí entre nos, NO es cierto.

Según dice todo historiador que se respete, Jesús murió realmente un MIÉRCOLES.

¿Cómo les quedó el ojo de pescado, padrecitos?

EL PEZ SIMBOLIZABA A JESÚS ENTRE LOS PRIMEROS CRISTIANOS, PROCEDENTES MUCHOS DE EGIPTO, ADONDE HABÍAN HUIDO DESPUÉS DEL AÑO 70 TRAS LA DESTRUCCIÓN DE JERUSALEM.

125

¿Jesús cobraba por hacer milagros?

Dicen que la fe cristiana se basa en los milagros de Jesús que demuestran su "divinidad". Pero ocurre una cosa: ninguna persona confiable presenció tales milagros que tampoco reseña ningún historiador que hubiera sabido de nada menos que unas RESURRECCIONES. Los testimonios evangélicos son obra de gente que en ese tiempo veía más de la cuenta y percibía maravillas gratis.

Que se sepa, Jesús no cobraba ni un centavo por hacer un milagro. A la mejor Judas Iscariote sí lo hacía, dado que era el tesorero del grupo.

Por eso es muy extraño que la Iglesia cobre billetes por una bendición papal (exclusiva, no de las que suelta el Papa a la menor provocación) o por las aguas milagrosas de Lourdes o Fátima, o por los rezos que les hacen los curas a los moribundos o por matrimoniar a las parejas que esperan que con la bendición del dios Tres en Uno se les haga el milagro de no tener que divorciarse antes de cumplir un año de casados.

Recuerde el lector que en la Biblia aparecen cientos de hechos milagrosos que no lo fueron.

Desde los milagros increíbles de don Moisés contra los egipcios hasta los milagros de ángeles y arcángeles que se aparecen para cambiar el curso natural de las cosas. Los milagros simplemente no existen, porque serían una violación de las leyes de Dios, que no iba a mandar a su Divino Hijo a violar sus propias leyes. En aquellos tiempos, cuando la ciencia estaba todavía en pañales, todo mundo creía en milagros, ángeles y demonios. Todos los estudiosos serios de la Biblia reconocen hoy que los Evangelios NO son biografías creíbles de Jesús, sino una especie de sermones para ganar clientela para la "nueva" religión. Los evangelistas escribieron sus sermones para que la gente CREYERA en Jesús, no para demostrar que era verdad lo que dicen. Ninguno de los Evangelios coincide con el otro, y en ninguna de las Epístolas de San Pablo se habla de un Jesús creíble como figura histórica.

Es por demás curioso que San Pablo NO habla, en ninguna de las cartas que se le atribuyen, de ningún MILAGRO.

Los escritos del antiguo perseguidor de judeo-cristianos son obra de un fanático que presenta a Jesús como un personaje mítico y fabuloso, como los dioses griegos. Nadie puede tomar en serio las cartas de San Pablo ni considerarlas como documentos históricos. Sólo son escritos para ADOCTRINAR y punto.

TAN POCO CREÍBLES SON LOS "MILAGROS" DEL ANTIGUO TESTAMENTO, COMO LOS QUE SE LE CUELGAN A JESÚS.

¿Por qué se presenta la Iglesia católica como la única poseedora de la Verdad?

¿Por qué razón el Papa se declaró infalible?

"El que creyere y fuere bautizado se salvará; el que no creyere SE CONDENARÁ" (Mateo 28). El Cristianismo católico se presentó al mundo, no sólo como la verdad propuesta para ver quién quería abrazarla, sino como la verdad absoluta, total y única, impuesta a chaleco. No hay ningún asomo de tolerancia, ni de comprensión hacia el prójimo: "FUERA DE LA IGLESIA NO HAY SALVACIÓN", y el papa polaco se ha encargado de remachar los clavos en la llaga.

¿Por qué los no-católicos se van a tener que condenar sólo por no aceptar al papa romano? ¿Qué clase de Dios dicen representar, tan intolerante y condenatorio de media humanidad?

No: está mal la Iglesia si cree que ésas son las enseñanzas de un Hijo de Dios que vino a predicar el amor y la paz.

Ego fum Papa.
Yo Soy el Papa.

(Y SIN COBRAR...)

128

¡chin: ya me fregué!

INFALIBILIDAD ES LA PRERROGATIVA DE NO EQUIVOCARSE.

La Iglesia dice que es infalible, porque "no puede engañarse ni engañar a los demás".
Aunque limita esa infalibilidad a cuestiones de FE, cuando enseña las "verdades" que hay que creer para ser católico.
¿Por qué afirma que no se puede equivocar? Se remite a que dice que Jesús dijo:
"ID Y ENSEÑAD A TODAS LAS NACIONES. YO ESTARÉ CON VOSOTROS TODOS LOS DÍAS HASTA LA CONSUMACIÓN DE LOS SIGLOS".
Sólo Dios es infalible -dice- pero el Papa y el resto de altos jerarcas pueden serlo... CON UNA ASISTENCIA ESPECIAL DEL ESPÍRITU SANTO. Así que, maestros, jefes de Estado, catedráticos, padres de familia, conductores de televisión y público en general : si quieren ser infalibles, soliciten la asistencia especial del Espíritu Santo.
Tel: 01-800-666-6666.

El papa Pacelli no rsultó una fichita, pero muy útil para demostrar que no sólo los papas de la época Borgia eran unos tales por cuales. Eugenio Pacelli, alias Pío XII, noble y racista, hizo gran amistad con Hitler cuando fue Nuncio en Alemania. Ya elegido papa e iniciada la guerra, Pío XII apoyó a Hitler en su empeño de dominar al mundo y acabar con sus males, que eran:
1) los bolcheviques,
2) los judíos,
3) los luteranos,
4) los negros,
5) los gitanos.
¿En qué consistió ese apoyo ?
En hacerse pato y no condenar los horrores cometidos por los nazis contra judíos y comunistas muertos por toneladas en los campos de concentración.
Sólo cuando la presión de los Estados Unidos se manifestó con fuerza y exigencia, Pío XII accedió a hacer un cristiano trato con los nazis:
QUE NO MATARAN A LOS JUDÍOS QUE SE CONVIRTIERAN AL CATOLICISMO. (Imagínese...)
Pero jamás condenó al nazismo y sí condenó al socialismo, y bailó de gusto cuando Hitler invadió a la URSS. Gracias a su silencio, docenas de sacerdotes católicos opositores a Hitler fueron asesinados, cientos de pastores luteranos murieron en los campos de concentración y millones de judíos murieron en los hornos de Dachau, Auschwitz y asociados. ¡El puro cristianismo, don Eugenio Pacelli!

129

¿Es cristiano el comercio con las reliquias?

● ● ● ● ● ● ● ● ● ● ● ●

De la Virgen María se conservan a la fecha cientos de RELIQUIAS que consisten en (agárrense): *Cabellos, una pestaña, velos, uñas, anillos nupciales, blusas, zapatillas, vestidos, guantes y cinturones. Cartas, huellas de su divino pie, gotas de su virginal leche (¡sí!) y, aunque no lo crean, un paño impregnado de su sangre vertida en una menstruación.*

Para los interesados en irse a venerar cualquiera de estas sacratísimas reliquias, incluimos la lista de las iglesias donde se encuentran, sirve que se hacen de varios años de indulgencias.

....

¡Virgencita: hazme pecar sin dejar de ser pura!

RELIQUIAS DE LA VIRGEN MARÍA
****

CABELLOS
En Roma: Santa María sobre la Minerva, San Juan de Letrán, Santa Susana, Iglesia de Santa Croce, San Sixto y Santa María en Campitelli. En Venecia : San Marcos. En Santo Domingo, en Boloña. En San Antonio de Padua. En Oviedo, España, en la iglesia de Nuestra Señora. También se encuentran en Brujas, Asís, Macon, París, Chartres, Saint-Denis, Berre, Saint-Flour, etc., etc.

ANILLOS NUPCIALES
En Perugia, Italia. Pero en la Borgoña, en la iglesia de Semur, aseguran que el suyo es el auténtico. Lo mismo dicen del que está en la iglesia de S.María in via Lata, de Roma. Y hay un cuarto anillo en la abadía de Anchin, junto a Douai, en Francia. Todos milagrosísimos.

VELOS DE LA VIRGEN
Hay velos en Moscú (Iglesia de la Anunciación), en Roma (Iglesia del Popolo), en Treviri, en la catalana Montserrat, en Marsella (Notre Dame la Majeure), en Périgue (Saint Front) y etc.
En Boloña se puede venerar una diadema que fue manchada con una gota de sangre de Jesús cuando estaba en la cruz.

CAMISONES
En Aix-la-Chapelle se encuentra uno de los dos camisones donados a Francia por Carlomagno. El otro está en Chartres, pero hay otros dos en Soissons y Utrecht, Holanda. También en Chartres se halla una blusa de la Virgen.

VESTIDOS
En Grecia se celebra cada año, el 2 de junio, la Fiesta del Santo Vestido, por el vestido que se encontraba en Constantinopla. Otros vestidos se encuentran en cinco iglesias de Roma, en la española San Salvador, en Avignon, Marsella, Tolon, Asís, Arles, El Escorial, Berre, Montier-la-Celle y hasta en Novogorod Rusia. En algunos casos se trata de fragmentos de vestidos. Otras prendas de la Virgen, como CINTURONES, SANDALIAS y la mismísima CAMA(S. Alejo, Roma) se localizan en Nantes, Rodi, El Escorial, Reims, Monserrat, Prato, etcétera.

¿Y la Santa Casa de María en Loreto?

Indudablemente, la reliquia de la Virgen más codiciada y venerada es la Santa Casa de Loreto. La más famosa de las imposturas del catolicismo, la casa donde nació la Virgen María, que se encontraba originalmente en Nazareth, estaba en peligro de ser profanada por los mahometanos parientes de Osama Bin Laden, que como se sabe, no creen en las paparruchas cristianas porque tienen las suyas.

Ante ese peligro, Dios mandó a un escuadrón de ángeles para que la rescataran (la casa) y se la llevaran volando a la Dalmacia. Ello fue el año 1294. Pero como ahí seguía corriendo peligro, los ángeles recibieron la orden de cambiarla a un lugar más seguro: a Loreto, Italia.

Lo crea o no lo crea el lector, la Santa Casa se venera todavía en Loreto y hace miles de milagros, pues contiene además un demonial de reliquias de la mismísima Virgen María y de su santísimo Hijo. Los italianos, de reconocido anticlericalismo, esperan que algún día los ángeles se lleven el Vaticano -con todo y Papa- a Jerusalem...

131

¿Jesús fundó la Santa Inquisición?

¡Claro que NO!
Cuando la Iglesia se vio impotente para frenar el libre pensamiento productor de herejías, el papa Gregorio IX fundó en 1233 una procuraduría llamada El Santo Oficio de la Inquisición, para investigar quiénes eran herejes. Mediante la tortura, el acusado, al que NO se le decía QUIÉN lo acusaba, era obligado a CONFESAR sus "culpas de fe".

NO podía defenderse, ni tener un abogado defensor.
Ya confeso, era entregado a las autoridades civiles quienes, si no quemaban al acusado, eran a su vez acusados de complicidad y juzgados por la Inquisición.
Ya muerto el hereje, la Iglesia se quedaba con todos sus bienes tras darle su comisión al que hacía la anónima acusación.
La Inquisición tuvo mucho éxito: un solo inquisidor, Torquemada, presumía de haber achicharrado a más de 80 mil "herejes".

¿Por qué torturaba la Inquisición?

► LAS TORTURAS DE LA SANTA INQUISICIÓN NO ERAN NOMÁS PORQUE SÍ: CON ELLAS LOS CRISTIANOS SENTÍAN LO MISMO QUE EL MAESTRO JESÚS...
Es decir, gracias a ser torturados, los cristianos (o judíos) se podían ir al Cielo rápidamente y sin juicio previo. Y hasta sin pasar por el Purgatorio...

¿Los cristianos que quemó la Santa (?) Inquisición se fueron al Cielo?

● ● ● ● ● ● ● ● ● ● ● ● ● ● ● ● ● ●

¡LO QUE MÁS CORAJE ME DA, ES QUE EL OBISPO SE VA A QUEDAR CON MI VIUDA...!

JORET

Aunque la Iglesia se ha pasado los últimos años pidiendo perdón a los judíos por todo lo que les hizo, no ha dicho nada respecto a los millones de cristianos tatemados por la Santa Inquisición.

Por lo menos debía decirles a sus familias que se fueron al Cielo por *fast track*...

133

¿Por qué hay varias Iglesias católicas?

Desde el principio del Cristianismo existían VARIAS Iglesias que se denominaban "cristianas".

Todas se derivaron de DOS GRANDES CORRIENTES. Una dirigida por Santiago y Pedro, los dos discípulos de Cristo. La otra corriente la encabezaba Pablo de Tarso, de la que se derivaron iglesitas en Efeso, Corinto, Antioquía, Tesalónica, Roma, Colosas, Alejandría, etc.

Cada una tenía sus propias autoridades y creencias, evangelios propios y ritos diferentes a las otras. Hasta que Constantino las unificó por la fuerza del terror. En el siglo II había 32 distintas Iglesias. Hoy lo mismo, y sólo una, la Romana, reconoce al Papa como *boss*.

Desde el año 857, un emperador bizantino cuestionó la autoridad del Papa de Roma y declaró papa a otro obispo, el de Constantinopla. La cuestión no prosperó porque Roma se impuso por las armas y el Papa romano siguió al frente del negocio.

Sin embargo, en 1054 otro obispo bizantino, Miguel Cerulario, se rebeló abiertamente contra Roma y decretó que la Iglesia católica NO DEBÍA DEPENDER DE ROMA. Nacieron así TRES Iglesias católicas independientes de Roma: la Iglesia de Constantinopla, la Iglesia griega y la Iglesia rusa. Todas ellas reconocen los Evangelios y todo lo demás, pero NO aceptan la autoridad del Papa de Roma, aunque sea polaco o mexicano. Por eso Roma los llama "cismáticos", al dividirse y separarse.

¿CUANDO EMPEZARON LOS "CISMAS"?

134

Se han hecho innumerables intentos de unir a todas bajo la gerencia del Vaticano, cosa que ninguna ha aceptado o se les acaba su negocito.

IGLESIAS CATÓLICAS EN EL MUNDO

IGLESIA CATÓLICA Y
ROMANA
*
IGLESIA ORTODOXA
GRIEGA
*
IGLESIA ANGLICANA DE
INGLATERRA
*
IGLESIA ORIENTAL
NESTORIANA
*
IGLESIA ORIENTAL
MARONITA
*
IGLESIA ORIENTAL
BIZANTINA
*
IGLESIA SIRIO-ORIENTAL
*
IGLESIA ARMENIA
*
IGLESIA RUSA
*
IGLESIA ORIENTAL
MONOFISITA
*
ORIENTAL ALEJANDRINA
*
ORTODOXA
ANTIOQUEÑA

Y otras que se nos hayan
pasado por las prisas...

No contamos a todas las otras Iglesias "cristianas" incluídas en esa rama que se denomina popularmente como LOS PROTESTANTES, y que son varios cientos de Iglesias, Iglesitas e Iglesiotas, y todas dizque cristianas, o nunca acabamos...

¡Protesto!

135

Si Dios está en todas partes, ¿para qué sirven las iglesias o "casas de Dios"?

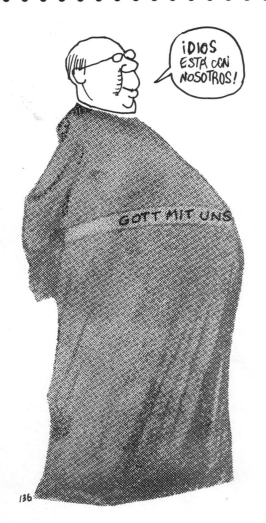

¡DIOS ESTÁ CON NOSOTROS!

GOTT MIT UNS

Los creyentes saben, porque así lo dice la Iglesia, que Dios está en todas partes. "En el cielo, en la tierra y en todo lugar"...

Sin embargo, cayendo en la peor contradicción, la Iglesia se ha dedicado a construir miles y miles de iglesias convertidas en "casas de Dios". ¡Como si Dios necesitara tener dónde vivir! La razón de la existencia de las iglesias es que, sin iglesias NO SERÍA NEGOCIO NINGUNA RELIGIÓN... y en consecuencia lógica no se necesitarían a los inútiles sacerdotes, ni a los gordotes obispos, ni a los poltrones cardenales, ni al decorativo papa. Dios se encuentra con más facilidad en un bosque o arriba de un cerro, que entre las cuatro paredes de una iglesia.

¿Por qué son tan complicados los sermones de los sacerdotes?

¿Por qué hay más iglesias que escuelas en los pueblos?

Los curitas sueltan cada domingo esa clase de sermones, porque ni ellos entienden lo que están diciendo como pericos. Antes, por lo menos los decían en latín, pero ahora, ¡qué horror! Deberían grabarles las tonterías que sueltan para que sufran igual que sus fieles creídos.

Actualmente hay más cantinas y bares que iglesias, pero la Iglesia considera que el alcohol, sobre todo en los pueblos, forma parte importante de las festividades católicas, igual que los cohetes. Los borrachos siguen siendo buenos católicos. En cambio, las escuelas son más peligrosas porque los que estudian empiezan a dejar de asistir a la iglesia.

OH, PUES... SI DIGO LA VERDAD, ME QUEDO SIN CHAMBA...

¿Hay agua bendita?

En ninguna parte de la Biblia o del Nuevo Testamento se habla del AGUA BENDITA. La Iglesia, sin embargo, dice que cualquier obispo, con ayuda del Espíritu Santo puede convertir el agua natural en agua electropura o mejor dicho BENDITA. ¡Oh, portento de portentos!

137

¿Por qué no se casan los curas?

¿Pueden usar condón los curas?

Lo más probable es que sean condones benditos o, en todo caso, condones de los que salen de la fábrica de condones que, según fuentes generalmente bien informadas, controla el Estado vaticano entre sus múltiples inversiones...

Si tomamos en cuenta que el apostol Simón-Pedro era casado y tenía hijos, lo lógico sería que los sacerdotes se casaran y así vieran lo que es bueno...
Pero no: la Iglesia no quiere que se casen y prefiere que anden escandalizando a las beatas con sus amoríos de confesionario y sus metidas de mano a niños inocentes. (A veces las metidas son de algo más.)
Hay un texto de San Pablo que dice que un obispo debía tener una esposa, y varios papas leyeron y tuvieron más de una y hasta concubinas. Pero los últimos papas se niegan a reconocer el problema, lo que ha provocado que la mitad del clero tenga mujeres a escondidas, y la otra prefiera colgar la sotana y casarse con su querida.

Seguramente los curas y obispos usan condón, pues ¿qué tal si a la mera hora la chamaca sale con su domingo siete? Y un aborto no lo va a pagar el Papa, ni enterándose...

¿Por qué hacen voto de castidad los sacerdotes?

¿Por qué tiene que haber intermediarios entre uno y Dios?

Los sacerdotes –y parece que las monjas también– hacen TRES votos: POBREZA, CASTIDAD Y OBEDIENCIA. ¿Para qué?
No se sabe, puesto que como es sabido, ninguno los cumple.
Ni la Iglesia es POBRE, ni los sacerdotes son CASTOS, ni se distinguen por OBEDIENTES.
Se cree que es una de tantas cosas absurdas que inventaron en la Edad Oscura (llamada también Edad Media), y que han seguido conservando para hacerle creer a la gente lo buenos que son como "representantes" de Dios y la Purísima Virgen.

Es obvio que entre Dios y los hombres no tiene que haber intermediarios. Si usted le quiere rezar a Dios, agarra y le reza y sanseacabó. Ningún teólogo ha afirmado que Dios le hace más caso a un obispo o cura, ni tampoco es cierto que los rezos del Papa le lleguen más rápido, o que Dios les haga más caso. Por eso NO deben cobrar los curas.
¡No se deje! Las oraciones a Dios o a las vírgenes son gratis, no causan impuestos, ni se aplican restricciones.
Si rezar lo hace feliz o cree que lo hace feliz y que le van a hacer caso, ¡¡pos órale!!

¿La Divina Providencia es un organismo descentralizado?

Al parecer así es, visto que en veinte siglos no ha funcionado muy bien que digamos.
De todos modos, si usted insiste en pedirle a la Divina Providencia casa, vestido y sustento, lo puede seguir haciendo. Dicen que vivimos en un democrático Estado de derecho...

¿Los curas reciben un sueldo?

No todos los sacerdotes se hacen ricos. Los hay que viven en pobreza absoluta, sobre todo cuando no les toca una buena parroquia. Las iglesias de los barrios o de los pueblitos, no aportan gran cosa al principal ingreso del cura: LAS LIMOSNAS Y EL COBRO POR LOS SERVICIOS (bautizos, misas de difuntos, matrimonios, etc.). Anteriormente, cada cura recibía un estipendio de parte de su diócesis. Ahora tienen que rascarse con sus uñas y pedirle a Dios que les mande algún narco que quiera lavar su conciencia junto con su dinero, o alguna millonaria que done su dinero para hacerle un altar al santo de su devoción.

Hay parroquias riquísimas que le permiten al padrecito vivir como príncipe (de la iglesia: los cardenales nadan en dinero). Pero hay parroquias y diócesis que apenas juntan dinero para irla pasando. A los curas que se rebelan, o a los de la Teología de la Liberación, los mandan a las parroquias más pobres. El negocio es tener una buena parroquia... o que lo nombren obispo, que es cuando se empieza a ganar buenos billetes.

El sacerdote que logra sobrevivir hasta los 70 años –muy pocos lo logran– se puede "retirar" recibiendo una pensión digna del ISSSTE: dos salarios mínimos al mes. Cuentan también con un seguro sacerdotal que les cuesta 8 mil pesos al año y que varía en su monto según la edad. En general se considera en el gremio que los curas son vilmente explotados por la santa madre Iglesia...

MAS INFORMES CON MONS. ONÉSIMO CEPEDA...

¿Por qué no trabajan los curas?

SÍ TRABAJAMOS, PERO PARA NUESTRO SANTO...

Los sacerdotes, ministros y pastores NO trabajan porque no lo necesitan. Viven de la fe de los creídos, de sus limosnas, con el cuento de que, gracias a su mediación, Dios los va a oir y ayudar. ¡Como si entre el hombre y Dios se necesitaran intermediarios o abogados! Muchos sacerdotes siguen siéndolo aunque no crean ni en Dios, porque NO SABEN HACER OTRA COSA, tal como me lo han confesado algunos de mis viejos compañeros de seminario... Si tiene problemas, mejor consulte a su médico, al sicoanalista, a su mejor amiga o a su cantinero...

141

¿Por qué se rapan la cabeza los monjes y curas?

Si un sacerdote deja de serlo ¿se va al Infierno?

DEPENDE DE SI QUIERE VOLVER A ENCONTRARSE CON SUS SUPERIORES O NO...

Los curas se afeitan una ruedita en la coronilla (la tonsura) en tibuto a la hostia, símbolo de Jesucristo; aunque la verdad es que, siguiendo la tradición de los egipcios y los adoradores de Mitra que se rapaban una ruedita que simbolizaba al SOL. La Iglesia lo ha seguido haciendo, "cristianizando" al sol...

Bartoli

142

¿Por qué se llama "padres" a los sacerdotes?

¿Por qué se les besa la mano a los sacerdotes?

Se les besa la mano a los sacerdotes porque se les considera, ¡qué chinga !, como nuestros padres, nomás calcule...
De los obispos pa'rriba hay que besarles también el anillo (sin albures) de oro que llevan en uno de los dedos.

(SEGURAMENTE JESÚS TAMBIÉN USABA UNO DE ORO Y DIAMANTES.)

Es interesante ver cómo la Iglesia ha cambiado casi todas las enseñanzas de Jesús que nunca llamó ni PADRES ni sacerdotes a los apóstoles. Tampoco los llamó APÓSTOLES. Es más: él y los apóstoles excluyeron esos títulos: *"No llaméis a nadie 'padre' vuestro en la tierra, porque uno solo es vuestro Padre: el del cielo"* (Mateo 23). Nadie sabe cuándo se dijo que había que llamar "padre" al señor cura, ni por qué había que decirles además "reverendos padres", ni mucho menos aplicarles a los superiores esos ridículos títulos de Reverendísimo, Ilustrísimo, Eminentísimo o *Su Excelentísima.*
Y la forma ridícula como visten los dizque Príncipes de la Iglesia. De veras que si Jesús volviera los corría a todos del templo y cerraba todas sus lujosas basílicas para dedicarlas a más cristianos fines. Por lo menos, los pondría a trabajar en algo productivo para la sociedad, en vez de estar dedicados a la intriga y la dizque salvación de las almas. ¿Y por qué han hecho del sacerdote un juez? Jesús ordenó claramente : "No juzguéis para que no seáis juzgados" (Mateo 7:1). 143

¿Los curas se confiesan con otros curas...?

¿Le sirve a un muerto rezarle nueve misas?

Cuando supuestamente Jesús se les apareció después de muerto a sus discípulos, presuntamente les dijo:
"A LOS QUE PERDONAREIS LOS PECADOS, PERDONADOS LES SON, Y A LOS QUE NO, POS NO".
De lo cual se agarraron en el Concilio de Trento (1215) los obispos y el papa Inocencio III para decretar como obligatoria la "confesión", al menos una vez al año. Y la volvieron un sacramento dizque instituido por Jesús para controlar y mantener sumisa y atemorizada a toda la cristiandad que se lo creía.
Aunque resulta medio difícil de creer esa tontera de que Dios le dio a un cura el PODER de perdonar los crímenes y guardar el nombre y señas del criminal como "secreto de confesión".
La Iglesia ha deformado todo en su provecho. ¿De dónde sacó la Inquisición, que enjuiciaba a muerte por simples diferencias de las creencias de la gente? ¿Por qué se ha convertido en un Poder Judicial, un Poder Legislativo y un Poder Ejecutivo como cualquier Estado ?

Al muerto no le sirven de nada, aunque sean cantadas, pero le sirven al vivo que las cobra... y más si son cantadas y de "cuerpo presente".

¿Para qué bautizan a los recién nacidos?

Uno de los absurdos mayores de la Iglesia es bautizar a los bebés "para que sean limpios de todos sus pecados"... ¿Pos cuáles pecados han cometido los bebés en la panza materna?
¿O acaso los recién nacidos son también culpables del nada original pecado de Adán y Eva?
Además de absurdo, es una absoluta violación a los Derechos del Niño, al imponerles con el bautismo una religión que no conocen ni les va a beneficiar...

¿Juan Bautista cobraba por bautizar?

No que se sepa...
La Iglesia dice que el BAUTISMO es necesario para SALVARSE del Pecado Original (que de "original" no tuvo nada) que cometieron los tales Adán y Eva que NI SIQUIERA EXISTIERON.
Que con echarle un chorrito de agua a un bebé queda libre de todos los pecados (¿cuáles ha cometido un bebé, aunque se parezca a Churchill?) y así "renace a una nueva vida".
Y finalmente, dice la Iglesia, "al ser bautizado, recibe las TRES virtudes teologales, que son la Fe, la Esperanza y la Caridad".
¡El agua ésa viene siendo más poderosa que el Maestro Limpio, Santo Señor de Chalma!

¿Por qué los católicos comen hostias?

¿Es idolatría adorar a una galleta?

> ¿CÓMO SE PUEDE CONVERTIR UNA GALLETA EN LA CARNE DE CRISTO Y EL VINO EN SU "PRECIOSA" SANGRE?

• • • • • • • • • • • • • • • •

La Iglesia dice que "es un dogma tan incomprensible y tan extraordinario, que no ha podido ser inventado por un hombre y por ello ha sido admitido desde hace 20 siglos. Es un milagro fácil para un Dios omnipotente".
¡ NO, POS SÍ !
Santo Tomás lo explica mejor:
"... *puesto que el Cuerpo de Cristo está en la eucaristía (?) a la manera como la sustancia esta bajo las dimensiones "per modum substantiae", es evidente que Cristo está contenido todo entero bajo TODAS las partes de las especies del pan y del vino..."*
146 Más claro, ni un discurso de Fox.

Pero añade la Iglesia :
"Por virtud de las PALABRAS de la consagración pronunciadas por el sacerdote, la sustancia del pan se convierte MILAGRO-SAMENTE en el cuerpo de Jesucristo, y la sustancia del vino en su sangre...".

> ¡AL QUE LO ENTIENDA LE DAMOS UNA HOSTIA DE PREMIO!

La duda que nos queda, dado que la harina se vuelve carne, es si un vegetariano puede recibir la comunión. Y la otra es, si el vino se vuelve sangre, ¿se reciben proteínas animales o de qué tipo?
A la mejor por eso los compañeros protestantes y de otras sectas dicen que los católicos son unos vulgares CANÍBALES que se comen ¿vivo? A SU DIOS...
En 1554 quemaron a un grupo de cristianos que creían que la hostia era sólo un símbolo.

¿Por qué no hacen las hostias con harina integral ?

¿En cuaresma dan vino blanco en la comunión?

"Si alguno dijera que Cristo, el Unigénito Hijo de Dios, NO DEBE SER ADORADO en el santo sacramento de la Eucaristía... y que Él no debe ser presentado para ser adorado, y que los que lo adoran son idólatras, QUE SEA ANATEMA."

Lo anterior forma parte de un decreto de la Iglesia, por el que se CONDENA a los que dudan de que en la hostia está presente el Señor Jesucristo..

Así fue decretado como dogma en el Concilio de Trento, de hace un chorro de siglos.

Brueghel

¿Por qué casarse por la Iglesia?

Ignoro de veras si eso de casarse "por la Iglesia" en un DOGMA DE FE o sólo una cuestión de mercadotecnia de la Iglesia. Que se sepa, Jesús nunca habló del matrimonio y menos de casarse ante un cura. En los Evangelios ni siquiera se habla de la boda de sus padres, cual debía...
Ya se sabe que la gente se casa a veces por las TRES leyes: por lo civil, por la Iglesia... y por pendejos. Y no se ha demostrado, ni mucho menos, que a los que se casan por la Iglesia y "delante de Dios", les vaya mejor en su matrimonio.
Y como es también de todos sabido, una boda por la Iglesia es bastante cara porque todo lo cobran: si es con flores, si es con seis o doce velas, si es de día, si es de noche, si es con tapete o sin tapete, si es con órgano o con vil casete de la marcha de Mendelsohn, con sermón o así nomás. En fin, que mejor ni nos casamos...

....
Divorcio
Aunque el lector no lo crea, hay todavía países que no permiten que la gente se divorcie. Las leyes de antidivorcio de esos países (Chile es uno de ellos) han sido hechas a petición de la Iglesia católica que, en pleno siglo XXI no acepta que un mal habido matrimonio se disuelva sin su "autorización".

¿Por qué no acepta el Vaticano el divorcio?

Pero hay países como el nuestro en donde sí se puede divorciar la gente, católica o no. PERO LA IGLESIA NO ACEPTA ESE DIVORCIO. Y, EN CONSECUENCIA, EL CATÓLICO QUE SE DIVORCIA Y QUE SE CASÓ "POR LA IGLESIA", NO PUEDE VOLVER A CASARSE (POR LA IGLESIA) SI EL PAPA NO LE DA "SU PERMISO".
¿Por qué esa tontería? Pues son restos de la Edad Media, cuando los papas imponían su sagrada autoridad a sangre y fuego... y que los católicos la aceptaban por dejados. Para más detalles consulten a Enrique VIII.
O para no ir tan lejos, a Fox...

¿Quién inventó el rosario católico?

Yo no, pero seguramente fue algún árabe, pues en todos esos países dejados de la mano de Dios y el Pentágono, la gente usa rosarios similares para llevar sus cuentas o no aburrirse. La Iglesia dice que rezando el rosario se le pueden pedir favores a la Virgen, cosa que hasta la fecha no ha funcionado, y miren que se repiten y se repiten y se repiten y se repiten hasta el aburrimiento...

¿Quién inventó la misa?

No se sabe a ciencia cierta, pero se cree que a algún obispo con iniciativa se le ocurrió decir que la llamada Última Cena había sido la primera misa, en donde Jesús había compartido con sus discípulos el pan y el vino. Igual pudo haber sido un almuerzo, donde también se comparte pan y vino (y otros guisados), o hasta un desayuno, pero no. La Iglesia escogió una cena y tomando elementos de otras paganas religiones, estableció la misa como uno de sus sacramentos (?) obligatorios.

¿Por qué hay un secreto de confesión?

Eso del
SECRETO DE CONFESIÓN
es uno de los privilegios que le quedan a la Iglesia de cuando era al mismo tiempo Poder Imperial y Poder Espiritual.
De cuando el mandamás de Roma era rey y papa al mismo tiempo y ninguna autoridad judicial le podía pedir cuentas y cualquier asesino podía hallar refugio en una iglesia y su confesionario. Hoy todavía puede cualquier narco confesarse con el nuncio Prigione y, tras pagar en efectivo $u buena penitencia, con$igue el perdón de sus pecados. Y el nuncio -por el "secreto de confesión"- queda impunemente protegido de NO denunciar a las autoridades al criminal narco.
Lo que es una sacratísima forma de lavar dinero y proteger a los criminales, ¿o no?

149

¿Por qué se rebeló el monje Lutero contra Roma?

AETHERNA IPSE SVAE MENTIS SIMVLACHRA LVTHI
EXPRIMIT AT VVLTVS CERA LVCAE OCCIDVC
·M·D·X·X·

CRANACH, 1520

Martín Lutero era un fervoroso monje alemán que empezó a manifestar su descontento ante la corrupción que había dentro de la Iglesia, contra el lujo y boato en que vivían papas, obispos y cardenales (y algunos monasterios); contra la riqueza del Imperio Vaticano y la venta descarada de puestos, iglesias productivas e indulgencias.

Roma hizo oídos de mercader y no le dio importancia al asunto.

Hasta que otros descontentos como Lutero se unieron a las peticiones de cambio, incluyendo reyes y poderosos y se fue creando un movimiento serio en toda Europa contra la nueva Babilonia llamada Roma.

El papado respondió a su manera excomulgando y reprimiendo por la fuerza de las armas a los protestantes (de ahí salió el Protestantismo), se generó una guerra feroz entre los dos bandos... y media Europa se salió del partido, naciendo nueva Iglesia.

¿Qué broma es esa de las indulgencias?

Las llamadas INDULGENCIAS que tanto combatió Lutero, son una especie de "certificados de buena conducta" que la gente compra para demostrar en el más allá que han sido buenos católicos.

No se ría que la cosa es seria... Usted puede comprar en esta vida el *perdón de sus pecados* adquiriendo sus indulgencias, que pueden ser por días, por semanas o meses o hasta por años. ¡Sí señor o señora!

Por ejemplo, si usted visita un determinado templo o basílica durante un Año Santo, puede ganarse varios AÑOS de indulgencia, adquiriendo su certificado lo cual puede hacer en la misma iglesia visitada.

Otra enorme ventaja de las indulgencias: ¡puede comprarlas para algún ser querido que ya está muerto! Si el susodicho muertito, por ejemplo, llevó una vida medio alocada, pero no como para irse al Infierno, con las indulgencias puede salir más rápido del purgatorio.

Supongamos que el muertito falleció en un accidente o en las Torres Gemelas, sin tiempo para arrepentirse de sus pecados. Su destino, según la Madre Iglesia es el Purgatorio, sala de espera antes de ir al Cielo o al Infierno de todos tan temido.

¡Si sus familiares previsores le compran varios años de indulgencias, le mandan rezar chorrocientas misas y lo encomiendan a los santos y vírgenes más influyentes, seguro que sale más rápido del Pulgatorio!

Para fortuna de toda la cristiandad, la venta de indulgencias, que fue una de las causas del cisma protestante, NO ha desaparecido y sigue habiendo >SENSACIONALES OFERTAS< POR EL AÑO DEL JUBILEO O POR LA CANONIZACIÓN DE SAN GARABATO.

¡Gracias, Madre Iglesia!

¿Qué es eso del PECADO?

. . . .

¿Por qué la Iglesia condena el sexo?

Desde sus inicios la Iglesia se ha despreocupado de la sexualidad de los seres humanos. Para la Iglesia el sexo sólo tiene una función: hacer niños. Creced y multiplicaos, dice la Biblia (no Jesús, conste) y todo lo que se pueda lograr utilizando los órganos que -dicen- Dios nos dio, la felicidad momentánea del acto sexual o del jugueteo cachondo y sabroso del abrazo y el beso, es calificado por los curas como "pecaminoso".

Es decir, dice la Iglesia, hacer uso del sexo para buscar algo que NO es la procreación, es algo que NO le gusta a Dios y puede provocar castigos eternos muy serios, como irse al infierno *per omnia secula seculorum*. Y no se diga hacer sexo con las debidas precauciones para no embarazarse. ESO ES MUCHO MÁS PECAMINOSO QUE NADA. ¿Qué clase de tontería medieval es ésa, señor Papa romano? ¿De dónde diablos sacaron que hay que poblar al mundo de niños no deseados y miserables muertos de hambre?

Jarape (Colombia)

¿Por qué condena la Iglesia a la ciencia?

¿Por qué llaman a las monjitas "las esclavas del Señor"?

Seguramente no sabe el Papa y sus asesores que uno de los problemas más serios de la humanidad es la SOBREPOBLACIÓN DE NUESTRO PLANETA.

No saben o se hacen tontos, las cantidades monstruosas de niños que se mueren de hambre CADA DÍA por falta de alimentos y a quienes unos padres muy católicos, pero muy ignorantes, han echado al mundo confiados en que "Dios proveerá".

¿Lo sabe el Papa o hace como que no lo sabe? Apuesto que en sus cuatro visitas a México no se ha enterado de las miles de mujeres que mueren por abortos mal llevados a cabo. Ni se ha enterado de los miles de niños que vagan por las calles, entregados a las drogas y la delincuencia por no tener padres.

Y lo mismo ocurre en todos los países subdesarrollados, -pero eso sí, muy católicos- donde la delincuencia, la prostitución, la drogadicción, la desnutrición y el abandono de la sociedad son parte de la vida diaria de millones de niños y niñas.

Eso no le quita el sueño a Su Santidad. Grave que NO estuvieran bautizados porque entonces sí... ¿cómo van a ir al Cielo a gozar de la vista de Dios?

Porque en efecto son las esclavas del Señor ...obispo. El papel de las mujeres dentro de la Iglesia católica (la única que tiene monjas) ha estado siempre en segundo plano, sin poder acceder a puestos jerárquicos importantes. ¡Ni siquiera pueden todavía ser sacerdotas!

Y mejor, porque en las viejas religiones las *sacerdotas*¡ cumplían un papel de cierta PROSTITUCIÓN SAGRADA al servicio de los sacerdotes.

(Sin olvidar, por favor, los fetos descubiertos en los jardines de los conventos españoles y latinoamericanos en el curso de su existencia.)

Las órdenes femeninas de monjitas han cambiado bastante, pero no dejan todavía de seguir dependiendo en cuerpo y alma del superior masculino.

153

¿Por qué la Virgen se aparece sólo en países católicos?

PORQUE SÓLO EN LOS PAÍSES CATÓLICOS HAY LA IGNORANCIA NECESARIA PARA CREER EN APARICIONES VIRGINALES.

¿Qué significa una "excomunión"?

¡TE EXCOMULGO POR PROTESTANTE!

La EXCOMUNIÓN (o anatema) es una especie de maldición que le suelta la Iglesia a sus enemigos o descontentos. Consiste básicamente en IMPEDIR que la gente que recibe una excomunión SIGA perteneciendo a la Iglesia y no pueda "gozar" de los sacramentos de la misma.

Yo perdí ya la cuenta de mis excomuniones y me siento feliz de NO pertenecer a esa nefasta institución que es la Iglesia. Es más: también celebré mi PRIMERA EXCOMUNIÓN con churros y chocolate.

ES COMO SI EL PAPA EXCOMULGA A BIN LADEN... ¡PURO COTORREO!

154

¿Puede la Iglesia lavar dinero del narcotráfico?

●　●　●　●　●　●　●　●　●　●

De hecho, la Iglesia ha estado lavando dinero del narco desde hace tiempo. La rapidez con que se levantan iglesias en el Bajío o Sinaloa, es prueba de que la "penitencia" que cumplen los narcos cuando se confiesan, es en *cash*.
Y si no que lo diga don Prigione, confesor del Chapo Guzmán, o el no menos famoso don Onésimo Cepeda y otros pastores de novísimas iglesias construidas en menos que canta un gallo...
Así ambas partes resultan beneficiadas: el narco recibe el perdón de sus pecados, y la Madre Iglesia, el pago por perdonarlos. Desde luego hay que aclarar que no todo el dinero se usa para construir nuevas iglesias. También se ha usado para levantar escuelas confesionales, dispensarios para religiosos y una que otra modesta residencia de algunos obispos y cardenales.

¿De qué dice la Iglesia que nos vino a salvar Cristo?

Ni siquiera en la mismísima Biblia se dice una sola palabra del tal "pecado original". Al parecer fue invento del tal San Agustín. Igual que la famosa manzana del Paraíso Terrenal. Toda esa historia de Adán y Eva y la serpiente y las manzanas, el pecado y la expulsión por un ángel con metralleta, hasta la Iglesia lo acepta como un piadoso cuento para niños.
Así que... ¿De qué pecado original nos vino a salvar el bendito Jesucristo?
¡Más seriedad por favor!

Si no existieron Adán y Eva, ¿por qué dice la Iglesia que Jesús vino a pagar sus pecados?

155

¿Es diferente el dios del Antiguo Testamento al dios del Nuevo...?

DIOS, MANDÓ A SU HIJO A FUNDAR UNA NUEVA RELIGIÓN, DICEN EN ROMA...

La religión católica está basada en 3 imposibles:
1) la fabricación de un "hijo de Dios",
2) su nacimiento de una "virgen",
3) su resurrección.

✳ Cualquiera de esos absurdos escapa a toda razón y lógica científica.

156

¡AH, POR ESO LA IGLESIA CONVIRTIÓ ESOS ABSURDOS EN DOGMAS...!

¿Qué es un dogma?

UN DOGMA ES CREER EN ALGO A FUERZA... POR OBLIGACIÓN...!

Los primeros FUNDAMENTALISTAS fueron los Padres de la Iglesia católica cuando decretaron obligatorias y bajo pena de muerte- las creencias en los dogmas cristianos.

Imponer a media humanidad una serie de creencias absurdas y ceremonias ridículas, no suena muy cristiano que digamos...

como eso de la REDENCIÓN de los pecados... ¿qué absurdo es ése?

En castellano puro, REDIMIR es "volver a comprar". Por lo que yo simplemente no entiendo eso de la "redención de los pecados" de la humanidad, que es por lo que dicen mandó don Dios a su Hijo a estos terregales. Y luego que insisten en llamar a la pobre María "madre del Redentor"...
¿Pos cuándo nos compraron la 1era. vez?

Si la Iglesia ya ha reconocido la inexistencia de Adán y Eva junto con todo el cuento del Paraíso y el pecado original... ¿por qué sigue predicando que Cristo vino a REDIMIRNOS del pecado original..? Una cosa se sustenta en la otra... salvo si una de ellas desaparece. ¿De qué pecado nos van a salvar entonces?

La Iglesia católica ha perdurado hasta nuestros días, igual que han perdurado las otras supersticiones y falsas creencias.

157

¿Por qué se convirtió la Iglesia en un imperio?

¿Por qué se visten los papas como emperadores romanos?

La Iglesia primitiva se regía por un consejo de ancianos, y cada comunidad elegia a su obispo. Con Constantino cambió todo: **Primero estableció los SÍNODOS en los cuales los diáconos (sacerdotes tipo romano) elegían a los obispos, bajo la presidencia del emperador. Se organizaron luego los PATRIARCADOS, teniendo como sedes territoriales Roma, Antioquía, Jerusalem, Alejandría y Constantinopla, tal y como los romanos habían dividido el Imperio en Sedes Territoriales, gobernando en cada región un PATRIARCA cristiano al lado y con el mismo poder que los augustos y césares.**

Y por encima de todos nombró al PONTIFEX MAXIMUS, cargo que recayó... en Constantino A su muerte, el obispo de Roma se autodesignó con el mismo título de SUMO PONTÍFICE, que sigue usando hasta la fecha el Papa. De ese modo, la originalmente pobre Iglesia cristiana pasó a convertirse en la poderosa Iglesia Católica, Apostólica y Romana. Y a partir de la Edad Media, el Cristianismo hecho imperio se extendió, por la razón del fuego y la espada, por toda Asia y América.

¿ alguna otra Iglesia tiene Papas ?

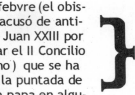

Hay una "Iglesia" en la onda Lefebvre (el obispo que acusó de anticristo a Juan XXIII por organizar el II Concilio Vaticano) que se ha botado la puntada de tener un papa en alguna ciudad de Francia.

Dentro de la fastuosa corte vaticana destacan, por el lujo y ostentación con que visten, los cardenales, bien llamados los príncipes de la Iglesia. Si el Papa es el rey, los cardenales son los príncipes, posibles sucesores del Sumo Pontífice. Siguen luego en la risible burocracia palaciega vaticana, los secretarios de Estado, arzobispos, nuncios papales, obispos y finalmente los canónigos, que nadie sabe de qué trabajan. Todos ellos se han autodesignado estupendos sueldos y maravillosas vestimentas doradas y plateadas. Toda la ornamentación que se ponen encima es copia hereditaria del Imperio Bizantino, que fue la época más fastuosa (y cursi) del Imperio Romano.

La Iglesia ha decretado que "la autoridad de los pastores de la Iglesia viene de Dios" (como lo presumían lo reyes y emperadores), así que no hay forma de que los católicos no tomen en cuenta las opiniones de un obispo o canónigo, y no se diga la de un excelentísimo cardenal.

¡Su palabra es la palabra de Dios, aunque ande vestido de civil y con democrática corbata! En suma, los jerarcas de la Iglesia visten con tanto lujo y ostentación para apantallar a los pobres creídos de sus fieles.

¿Eso tiene algo que ver con el voto de pobreza? Supongo que sí, pero no hay que ponerse tan cristianos con ellos... Total, al único que le rinden cuentas es a Dios, dicen...

Una visita al Vaticano durante una ceremonia "religiosa" es la mejor receta para volver ateo a cualquiera. La contemplación del lujo y boato que uno espera encontrar todavía en la corte de la reina de Inglaterra, se puede dar en más cantidad y calidad viendo desfilar a los dignatarios de la Iglesia durante una misa en la basílica de San Pedro. Oro, plata, diamantes, telas de púrpura resplandeciente, hermosos crucifijos de oro y piedras preciosas, cálices y copones salidos del museo del Hermitage, el Kremlin zarista o la Torre de Londres. ¡Qué lujo y munificencia el de los Príncipes de la Iglesia! ¡Qué envidia les provoca a los reyes y princesas de las monarquías europeas, el boato de la corte católica! A Jesús seguramente no le provocaría envidia, pero ¿qué tal un coraje anticipado?

¿Por qué dicen algunos ardidos que la Iglesia es la institución más nefasta de todos los tiempos?

• • • • • • • • • • •

Nos parece una exageración y ganas juaristas de molestar a los católicos creyentes.

Porque, si bien es cierto que la Iglesia ha tenido unos que otros papas asesinos, viciosos, rateros y corruptos, no es para considerar a la Iglesia como una institución criminal, viciosa, ratera y corrupta. Creo que peores que los papas han sido algunos presidentes mexicanos o centroamericanos y ni quien diga nada...

También es cierto que la Iglesia se presentó desde el principio como la "única y verdadera religión inspirada por Dios y fundada por Cristo", lo que la obligó a perseguir ferozmente a los que no querían ser católicos.

Pero no hay que olvidar que el mismo Dios ordenaba a la Santa Madre Iglesia que acabara con las falsas creencias y los falsos ídolos que eran una ofensa a Dios Todopoderoso. Por eso se vieron obligados los cristianos a matar a CIENTOS DE MILES de herejes, infieles, paganos y malos cristianos, que con su sola presencia OFENDÍAN a Dios.

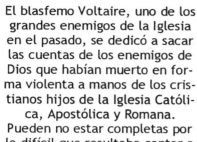

El blasfemo Voltaire, uno de los grandes enemigos de la Iglesia en el pasado, se dedicó a sacar las cuentas de los enemigos de Dios que habían muerto en forma violenta a manos de los cristianos hijos de la Iglesia Católica, Apostólica y Romana. Pueden no estar completas por lo difícil que resultaba contar a todos los muertos...

ENEMIGOS DE DIOS MUERTOS A MANOS DE LA H. IGLESIA:

++++++++++++++++++

1/ Muertos por las peleas entre los seguidores de las Sectas cristianas de Novaciano, Cornelio, Cipriano y Novat...............200

2/ Muertos por órdenes de Constantino debido a que eran herejes y malos cristianos...200

3/ Muertos a garrotazos por el cisma Donatista................. 400

4/ Guerras civiles entre las distintas sectas heréticas que no querían creer que Jesús era el Hijo de Dios. Muertos.. 300 mil

5/ Muertos por no aceptar que se podía adorar a Jesús de bulto, en imágenes .... 60 mil

6/ Maniqueos mandados matar por la Emperatriz Teodora en el año 845 .... 120 mil

7/ Muertos en las batallas por los obispados .... 20 mil

8/ Campaña de evangelización de Armenia .... 130 mil

9/ Muertos en las CINCO CRUZADAS ...1 millón 200 mil

10/ Guerras evangelizadoras en el Báltico .... 100 mil

11/ Cruzada evangelizadora en el Languedoc francés... 100 mil

12/ Guerra del papa Clemente IX contra los Emperadores 50 mil

13/ Gran Cisma de Occidente de cristianos orientales .... 50 mil

14/ Guerra Vs. Husitas... 150 mil

15/ Matanzas de protestantes en Francia meridional .... 18 mil

16/ Protestantes muertos en Europa e Irlanda por las guerras civiles y demás.......2 MILLONES

17 / Muertos por la Sacrosanta Inquisición .... 300 mil

18 / Muertos en la Conquista evangelizadora de América ....12 millones de indios

19/ Evangelización de Japón por los Jesuitas..... 300 mil

20/ Evangelización cristiana del África negra .... 2 millones

21/ Pogroms de judíos en toda Europa ANTES del Nazismo .... 1 millón 300 mil

22/ Judíos muertos por Hitler bajo inspiración católica ....5 MILLONES

23/ Matanzas de protestantes en América Latina .... 200 mil

....

ES POSIBLE QUE SE DEBAN AÑADIR ALGUNOS MILES MÁS, PERO SE PERDONAN EN ARAS DE LA FE. TENEMOS UN GRAN TOTAL DE ENEMIGOS DE DIOS : 25,248,800 muertos,

....

¡VEINTICINCO MILLONES DE MUERTOS EN NOMBRE DE DIOS Y SU SANTO HIJO!

¿Por qué emprendió la Iglesia tantas guerras de conquista en nombre del Príncipe de la paz?

Cuando la Iglesia pasó de ser una modesta comunidad de cristianos primitivos que seguían al pie de la letra las enseñanzas del Jesús esenio, a un poderoso imperio heredado de Constantino, inició su expansión europea.

¡DIOS LO QUIERE!

En campañas MILITARES propagó la "nueva" religión por todo lo que había sido el Imperio Romano, llevando la fe en Cristo Nuestro Salvador hasta las más remotas regiones del Imperio. Son famosas todavía las guerras de fe llevadas a cabo en Macedonia, Turquía y Armenia, donde lograron convertir al Cristianismo a cientos de miles de paganos. Lo mismo ocurrió en el norte de Europa y las Islas del Mar del Norte (Irlanda y demás), aunque debe aclararse que la gran mayoría de conversos se murieron atravesados por las lanzas y espadas de los misioneros de Cristo y su fervor incontenible. De ese modo llegó el Cristianismo a posesionarse de toda Europa y el Asia Central, que dejaron de ser paganas... Después, varios siglos después, harían lo mismo con el Nuevo Continente que no había oído la Palabra de Dios, pero que gracias a la Cruz vuelta espada, se convertiría al Cristianismo.

163

¿Por qué el Papa les regaló América Latina a los reyes de España, si no era suya...?

¿Todavía hay misioneros que buscan "convertir" infieles?

No olvide el sagaz lector que en ese tiempo el Papa era algo así como el inquilino de la Casa Blanca de Washington: el dueño del mundo. Y como lo era POR DESIGNIO DIVINO, disponía del mundo a su antojo. Por eso repartió América entre ellos.com.

La Iglesia cree que mientras no acabe de "cristianizar" a todo el planeta, NO ha cumplido su misión en la Tierra. Por eso sigue enviando "misioneros" a todas partes para "convencer" a los paganos de que fuera de la Iglesia van a estar jodidos.

La llamada **EVANGELIZACIÓN** de nuestros indios consistió en quitarles sus tierras y su religión y obligarlos por la fuerza a creer en Jesucristo, su "salvador".

¿Por qué obligaron a los indios a volverse cristianos?

La llamada "conquista espiritual" de México (y los demás países conquistados por España) fue uno de los peores genocidios de la historia. Hernán Cortés mandó traer a los misioneros para que le ayudaran a someter y esclavizar a los indios derrotados por la sorpresa y el engaño. ¿Qué tiene de cristiano amenazar de muerte a unos indios, diciéndoles que si no aceptan como dioses a Dios Padre, Dios Hijo y Dios Espíritu Santo (y de pilón al rey de España) serán muertos o esclavizados?
¿Es muy cristiano obligar a volverse católicos -ya, ya, ya-a unos pobres indios que no entendían nada de nada de la misa o de una señora que había parido sin haber conocido varón?
Todos los crímenes y masacres llevadas a cabo por los conquistadores -y con la bendición de los misioneros y del mismo Papa- fueron llevadas a cabo PARA CONVERTIRLOS EN CRISTIANOS. Y además, todo ese genocidio lo hacían *en nombre de Dios.*

Motolinía, uno de los frailes con más fama de ".bueno" le comentó, en 1555, a Carlos V:
" ... y los que no quisieren oir de buen grado el santo evangelio de Jesu-Cristo, sea por fuerza, que aquí cabe aquel proverbio: más vale bueno por fuerza que malo por grado".

¿ CUÁNTOS INOCENTES LE FUERON INMOLADOS AL DIOS DE LOS CRISTIANOS ?

Ah, pero fueron Cristianos al morir.

Nos hicieron católicos a la fuerza, y por eso somos cristianos de mentiritas, de apariencias. Somos "aparentemente" cristianos.165

¡POR DIOS!

¡POR EL REY!

Con un poco de pena remitimos al lector a otro libro de Rius: *500 años fregados pero cristianos*.

Podríamos suponer que gracias al Cristianismo los indios ya cristianizados adquirían un estilo de vida digno y mejor al que tenían antes, pero no fue así. Los conquistadores los volvieron esclavos, los maltrataban y despreciaban, los consideraban sólo como animales de carga indignos de compartir la misa con ellos. La conquista espiritual convirtió a los indios de América en un pueblo ignorante, manipulado, alcoholizado, fanático, acomplejado, cerrado y desconfiado, pero también cínico y corrupto.

Aun así, nuestros indios se siguen considerando católicos y les siguen besando la mano a los padrecitos que les dieron en la madre hace 500 años...

¡Oh, milagro cristiano!

¡VIVAN LOS USOS y COSTUMBRES! hic...

Cuando se compara la conquista católica de México con la conquista protestante de Estados Unidos, se alega a favor de los españoles que ellos al menos no mataron a todos como ocurrió en Gringolandia. Pero allá no había ningún imperio, como en Perú o México, y grandes regiones estaban despobladas. No había una gran cultura que tuvieran que destruir, como acá. Ni hubo misioneros que trataran de evangelizar a los indios, imponiéndoles por la fuerza su religión.

La conquista espiritual, tenemos que reconocerlo, nos perjudicó por completo al imponernos un modo de vida basado en la hipocresía, la injusticia y la corrupción. Por eso somos subdesarrollados y corruptos.

Por eso en Europa los países católicos son los más atrasados con relación a los anglos y sajones protestantes. Por eso los países católicos, antiguas colonias de países católicos como España o Francia, seguimos en el Tercer Mundo y esperando felices que nos visite el Papa.

¿Quiénes son los enemigos de la Iglesia?

Como puede verse sin fijarse demasiado, la Iglesia ha estado matando gente DESDE ANTES de Constantino, y ha sido constante en la persecución y aniquilación de los "enemigos de Dios". Pero no sólo ha enviado al otro mundo a esos enemigos, sino que también ha perseguido a los que con sus escritos difaman a la Iglesia apoyados dizque en la Ciencia y la Historia, negando los milagros y buenas intenciones del Cristianismo.

Esos miles de libros han sido condenados y quemados, algunos junto con sus autores, y la Iglesia hará todo cuanto está en sus manos para que vayan al infierno por *fast track*.

¡ La Ciencia, la Historia, la Lógica y el Uso de la Razón, NO PREVALECERÁN CONTRA LA IGLESIA CATÓLICA, APOSTÓLICA Y ROMANA ! Amén.

La lista de los enemigos de la Iglesia es interminable, cual Directorio telefónico. Tome nota (y paciencia) :

TODOS LOS HEREJES
TODOS LOS INFIELES
TODOS LOS PAGANOS
TODOS LOS PROTESTANTES
TODOS LOS MASONES
TODOS LOS JUDÍOS
TODOS LOS ISLÁMICOS
TODOS LOS BUDISTAS
TODOS LOS TAOÍSTAS
TODOS LOS HINDUISTAS
TODOS LOS ATEOS
TODOS LOS COMUNISTAS
TODOS LOS LIBREPENSADORES
TODOS LOS CIENTÍFICOS
TODOS LOS EX-CURAS
TODAS LAS PROSTITUTAS
TODOS LOS FREUDIANOS
TODOS LOS FILÓSOFOS
TODOS LOS MAGOS Y BRUJ@S
TODOS LOS GNÓSTICOS
TODOS LOS ROCKEROS
TODOS LOS SOCIALISTAS
TODOS PUES..

(INCLUYENDO A RIUS..)

¡VAYA LABOR CRISTIANA DE LA IGLESIA DEL PRÍNCIPE DEL AMOR Y LA PAZ!

¿Ha cambiado el mundo con el Cristianismo?

Según la Iglesia, antes de Cristo el mundo yacía sumido en la miseria y en los peores de los vicios imaginables. Pero con la supuesta venida de Cristo todo cambió: reinan desde entonces la justicia, la gracia, la verdad, la felicidad y el amor entre la gente y los pueblos.

Se acabaron las guerras, los pleitos entre ciudades y familias, los delitos, la persecución de inocentes, el hambre y las injusticias. Lástima que la Iglesia no tenga la razón y nos haya mentido. Porque la neta es que NADA HA CAMBIADO con el Cristianismo, ni siquiera en las oficinas de los supuestos representantes de Cristo.

¿Verdad, señores farsantes del Vaticano, la gran cueva de ladrones donde no se ha asomado Cristo con su chicotito?

La Iglesia se ha sostenido durante 20 siglos por el terror, la represión, la ignorancia de los fieles, la intriga, las guerras santas de conquista y su alianza con el poder civil, militar y financiero.

Jesús es ajeno a esa institución criminal y mentirosa.

¡Dejen ya de meterlo en sus sucios negocios!

169

¿Adolfo Hitler era católico?

Senep (Francia)

Declaradamente sí (ver anexo), aunque era muy mal practicante y no iba muy seguido a misa ni se confesaba. También el otro bestia de Mussolini lo era. El emperador Hirohito no, porque su religión no se lo permitía. Pepe Stalin también lo fue, lo mismo que Fidel Castro. Mao no porque tenía el mismo problema que don Hirohito.

"Personalmente, estoy convencido del gran poder y profundo significado del cristianismo, y no permitiré que se promueva ninguna otra religión. Como católico, nunca me siento a gusto en la iglesia evangélica. Ustedes católicos pueden estar seguros: protegeré los derechos y libertades de las iglesias y no permitiré que las toquen : por tanto no deben temer por el futuro de la Iglesia..."
Adolfo Hitler

"Adolfo Hitler, hijo de la Iglesia Católica, murió mientras defendía al cristianismo. Sobre sus restos mortales se yergue su victoriosa imagen moral. Con el triunfo del mártir, Dios le da a Hitler los laureles de la victoria."
ABC, Madrid,
3 de mayo de 1945.

Los tres grandes defensores del Catolicismo romano han sido Hitler, Mussolini y Paquito Franco. Deben de estar en el Cielo...

Hitler con los obispos Müller y Schachleiter, felices de la vida, rodeados de los jefes del partido. Septiembre de 1934.

Firma del Concordato por el Cardenal y Nuncio Pacelli, que luego sería el papa Pío XII y el católico canciller del Reich, Von Papen. En el extremo derecho se ve al entonces obispo Montini, que sería más tarde el papa Paulo VI. ¡Qué cosas..!

Cuando Hitler tomó Yugoslavia, la Iglesia Ortodoxa Rusa pidió al papa Pío XII interviniera ante Hitler para salvar de morir al clero ortodoxo (católico) de Yugoslavia. El Papa le dijo a Hitler que sólo respetara a los que se "convirtieran" a Roma.

Crearon entonces la Ustashi, similar a la Gestapo, para acabar con los judíos y orto-doxos. Dirigía la Ustashi un monje franciscano, Stane Kukavic, fiel a Pío XII... y a Hitler.

• •

Los nazis creyeron el cuento del neoplatónico Celso que en el siglo II di-jo que Jesús había sido hijo adulterino del centu-rión romano Panterius, y que el tal soldado era de raza germánica.

Y concluyeron los nazis predicando que Jesús NO había sido judío, sino todo un germano rubio y de ojos azules.
¡Qué cosas, señor!

171

¿Por qué la Madre Iglesia siempre está del lado de los ricos y poderosos?

La Iglesia, da pena decirlo, ha estado SIEMPRE del lado de los ricos y poderosos. Incluso ha vivido ALIADA al Poder, aunque ese poder no haya estado en buenas manos. El Vaticano se alió con Hitler y Mussolini, con quienes firmó Concordatos. Y con Franco, lo mismo. Cuando las tropas franquistas derrotaron a la República española con ayuda activa de Hitler y Mussolini en 1939, Pío XII mandó este cristiano saludo a Franco:

"Con inmenso gozo nos dirigimos a vosotros, hijos queridísimos de la católica España para expresar nuestra paterna congratulación por el don de la paz y la victoria... Hacemos descender sobre vosotros, sobre el Jefe de Estado y su ilustre gobierno nuestra bendición apostólica". ¡ Jesús mil veces !

La Iglesia se convirtió en una rama del Imperio cuando Constantino la decretó religión oficial de éste. Asumió así su ideología dejando a un lado las ideas "cristianas" de Jesús. Se volvió defensora de la esclavitud, de los dioses paganos rebautizados con nombres dizque cristianos, se alió al poder encargándose desde entonces de mantener sumisas a las masas haciéndolas creer que la voluntad de Dios era conformarse con ser pobres.

Erich Fromm lo dice muy bien:
"La religión tiene la tarea de impedir cualquier independencia psíquica por parte del pueblo, de intimidarlo intelectualmente, de hacerle mantener la docilidad infantil ante las autoridades..."

Hasta la fecha la Iglesia, que a partir de la Revolución Francesa ha perdido su Imperio Terrenal, sigue cumpliendo la función de mantener dóciles y sumisas a las masas y manejarlas a su antojo para que no se rebelen.

Trujillo, los Somoza, Nixon, Bush y Reagan, Videla, Pinochet, los gorilas brasileños o uruguayos, papa Doc Duvalier, Fidel Castro, Díaz Ordaz, Echeverría, Salinas de Gortari, todos los dictadores centroamericanos o africanos, todos han recibido las bendiciones apostólicas del papado romano para que maten bien a los ateos y herejes rojizos.

La Iglesia católica, que practicaba en los dos primeros siglos un comunismo primitivo, es la mayor exponente y defensora del peor capitalismo.

¡QUE ME QUITEN LO BAILAO!

En países como el nuestro, el verdadero poder en los pueblitos es el cura, a quien le hace más caso la población que al presidente municipal. Si los papas fueron reyes al mismo tiempo, los sacerdotes son alcaldes simultáneamente.
En nuestra historia encontramos por lo menos 10 obispos y arzobispos que fueron al mismo tiempo VIRREYES. El más conocido de ellos es Don Juan Palafox y Mendoza, virrey y arzobispo de México. Dos huesotes en una misma persona...
¡Y dicen luego que la Iglesia no hace política, hostia!

El verdadero poder de la Iglesia católica se basa en las inmensas riquezas que ha atesorado desde hace casi 20 siglos de ser un imperio fundamentalista que controla a la gente por el terror al más allá, y su eterna asociación con los peores gobiernos de este mundo.

173

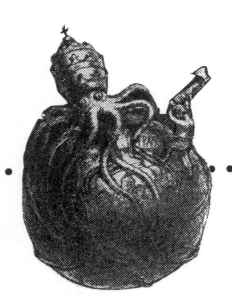

¿Por qué es tan escandalosamente rico el Vaticano?

Hasta 1870, la Iglesia católica era dueña de la tercera parte de Italia y era considerada como un REINO con su rey que era el Papa. Ese año, Garibaldi logró la unificación de todos los otros reinos en uno solo, el Reino de Italia, y los Estados Pontificios desaparecieron. A la Iglesia le dejaron sólo un minúsculo pedacito de tierra en Roma que hoy se llama EL VATICANO.

Como esos Estados Vaticanos habían sido obtenidos mediante guerras y otra clase de robos, todo mundo estuvo de acuerdo. La Iglesia, dizque fundada por el pobre de pobres, no tenía por qué ser tan rica y poderosa.

Ya en 1929 con el fascista Benito Mussolini en el gobierno, Italia firmó un concordato, un tratado y una convención financiera. Mediante el tratado, el Vaticano pasó a ser un Estado independiente. Con el concordato Mussolini aceptó que la religión oficial de Italia fuera la católica y gracias a los convenios financieros, el papado recibió la enorme cantidad de 80 millones de dólares (hoy serían mil millones de dólares) como compensación por los territorios que había perdido la Iglesia.

Da gusto saber que don Michel Camdessus, el antiguo mandamás del FMI, ha sido nombrado Encargado de las Finanzas del Vatican State.
Es peor que la Iglesia en manos de Lutero, pero las limosnas tendrán mayores rendimientos, digo...

¡CHIN! HASTA HAY UN "BANCO DEL ESPÍRITU SANTO"!

OFFERTA DELLO STATO ITALIANO

Galantara (Italia)

En vez de gastarlo en ayudar a los pobres y necesitados, el Vaticano invirtió la lana con la asesoría de un poderoso banquero italiano, Bernardino Nogara, en bancos y empresas de Italia y Estados Unidos. Desde entonces, las finanzas vaticanas han engordado de lo mejor y el Vaticano se ha convertido en la Potencia financiera número Uno del mundo, si consideramos que es el Estado más pequeño de la Tierra (un kilómetro cuadrado) y el menos habitado (mil doscientos habitantes con pasaporte vaticano).
Simplemente en 1960 un grupo de economistas italianos calculaba el capital del Vaticano en CINCO BILLONES DE DÓLARES, es decir ¡¡5 millones de millones!!

¡hombre: lo que empezó con un pinche pesebre!

¿De dónde saca la Iglesia tantísimo dinero?

• •

Las empresas vaticanas suman más de 250. Es realmente difícil calcular cuánto suman las inversiones (y ganancias) del imperio financiero de la Iglesia, pero gente de Wall Street calcula en unos 6 BILLONES de dólares sólo la inversión financiera.
Además hay que contar con los innumerables edificios y fincas, libres de impuestos, que posee y administra en toda Italia, los incalculables tesoros artísticos del Vaticano (calculados en 4 mil millones de dólares), los activos de las riquísimas órdenes religiosas, las editoriales y televisoras, la venta de títulos nobiliarios, bendiciones papales, reliquias, indulgencias, concesiones, franquicias, etc.

Y desde luego, EL ÓBOLO DE SAN PEDRO. Las 679 mil iglesias, templos, santuarios y basílicas regados por el mundo, están obligados a darle al Vatibank UN DÍA DE LIMOSNAS cada 29 de junio, lo que se conoce como "El óbolo de San Pedro". Calculan los economistas que cada año ingresan a las arcas vaticanas más de 300 millones de dlls. Además, hay 2 días más al año en que cada iglesia debe destinar todo lo recaudado al Vaticano. Uno de esos días es el llamado "Día de las Misiones". (En 1977 el Vaticano recibió 232 millones de billetes verdes por ese concepto.)

176

JESÚS HA SIDO LA MEJOR MATERIA PRIMA QUE HEMOS TENIDO..

El otro día se publicó en la prensa la noticia de que el Papa no recibe ningún salario.

(SE LE SUPLICA AL LECTOR NO SE RÍA MUCHO...)

COOPERE PARA LOS POBRES.

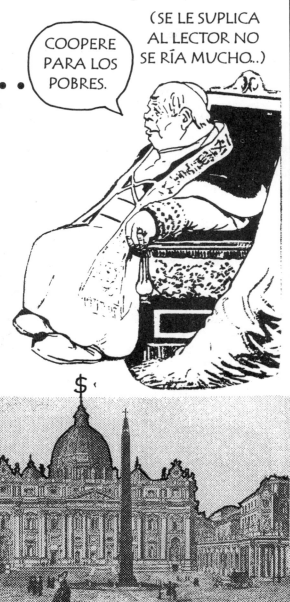

EL IMPERIO VATICANO
++++++++++

679 MIL IGLESIAS
29 BANCOS
236 EMPRESAS en Italia
(algunas de ellas :
ALITALIA (aviación)
SOC. ROMANA DE ELECTRICIDAD
OLIVETTI
MONTECATINI
LANCIA (automóviles)
ASEGURADORAS (5)
FINANCIERAS (4)
INMOBILIARIAS (6)
GRUPO PESENTI (cemento)
CONSTRUCTORAS (5)
MOLINOS (2)
FÁBRICAS DE PASTA (3)
POZZI (sanitarios)
VITTORIO OLCESE (textil)
CISA VISCOSA
RCA VICTOR ITALIANA
CADENA HILTON (hoteles)
PIBIGAS
SANITPLASTICA
PROGREDI
El Vaticano preside la mayor sociedad accionaria del mundo que maneja las acciones de:
GENERAL MOTORS
BETLEHEM STEEL
BANKERS TRUSTS
TWA / GULF OIL
GENERAL ELECTRIC
SHELL / FIAT
CHASE MANHATTAN BANK
Y tiene fuertes inversiones en la Shell, la Siemens, Alfa Romeo, la Autostrada del Sole, la Fiat y según las malas lenguas bien informadas, también en una fábrica de Condones.

177

Ésta es la versión oficial de cómo nació la Iglesia y el Papado. Tomada de un viejo diccionario, es copia fiel del Catecismo que se utilizaba en los años 20's.

Zingerl (Alemania)

Si el Espíritu Santo designa a los papas ¿para qué hacen los cardenales la farsa de "elegirlo"?

a., **Papsttum**. m. Dignidad de Papa. || Tien que dura. || *Hist. rel.* El Papado fué institu expresa y solemnemente por el mismo Jesucri en la persona del apóstol Pedro y sus sucesores esta institución comprende una solemnísi promesa y el cumplimento de ella. La prom la hizo Jesucristo con las memorables palabr *Tú eres Pedro y sobre esta piedra edificaré mi I sia... y te daré las llaves del reino de los cielos,* cumplimiento definitivo y total de esta prom tuvo lugar después de la resurrección de Jesucri en la tercera de sus apariciones, diciendo el Se a Pedro: *Apacienta mis ovejas.* Con ello qu constituído Pedro en maestro y rector univer del Colegio apostólico y de toda la Cristiand como vicario del mismo Cristo y como prim de verdadera jurisdicción, sacerdocio y magiste Este primado fué conferido también por los cesores de san Pedro, los Pontífices romanos, c legitimidad resulta del hecho de haber sido Pedro el primer obispo de Roma, por lo que obispos de Roma son sus legítimos sucesor Como poder temporal, el Papado puede deci que data del siglo IV. Cuando el emperador Co tantino abandonó Roma y se estableció en Co tantinopla dejando en aquélla al Papa, la au ridad de éste en el orden temporal se acrecen comenzando a ser mirado como protector y se de Roma. Constantino, además, fué el funda de la riqueza territorial de la Iglesia roma dándole posesiones no sólo en Roma y en to Italia, sino también en Grecia, Asia y Egipto estas posesiones las aumentaron constantem los fieles y los emperadores, apareciendo incl algunas ciudades como bienes donados a la Igle Sin embargo, hasta mediados del siglo VI el po temporal del Papado no se había emancipado completo de la soberanía de los emperadores zantinos; esta independencia, que es lo que v daderamente dió origen a los Estados pontifici tuvo lugar en el siglo VII al perderse la autori imperial en Italia frente a las armas de los lo bardos y se confirmó más tarde con la donac de Pipino, padre de Carlomagno. Durante la Ed Media la ext. de los Estados pontificios tu muchos cambios, habiendo llegado a su máxi en el pontificado de Inocencio III. En 1860 algu de ellos fueron arrebatados a la Iglesia e incor rados al nuevo reino de Italia; el resto fué tot mente incorporado al mismo en 1870. El Pa quedó, de hecho, sin posesiones territoriales has 1929, en que, en virtud de un concordato con I lia, fué reconocida su soberanía sobre la ciu vaticana.

PAPAFIGO. fr. **Becfigue;** it. e i. **Beccafi**

¿De veras los papas representan a Dios?

Hachfeld (Alemania)

¡CLARO: Y EL QUE NO LO CREA SE VA A IR AL INFIERNO!

¿Cómo puede creerse que un dios de amor y bondad iba a ser representado en este mundo por una colección de papas asesinos, lujuriosos, ladrones, corruptos, torturadores, tiranos y autodeclarados infalibles? ¡Dios podía equivocarse una vez, pero no tantas!

El razonamiento de la Iglesia para decir que los papas son los Sucesores de Cristo (nada menos) es muy sencillo y tonto: *"DIOS MANDÓ A SU HIJO CONSENTIDO A ESTA TIERRA A FUNDAR UNA NUEVA RELIGIÓN. JESÚS PUES, FUNDÓ A LA FLAMANTE IGLESIA, PONIENDO AL FRENTE DEL NEGOCIO COMO GERENTE A SAN PEDRO, QUE ESTABLECIÓ ASÍ LA MONARQUÍA REINANTE..."* Podríamos decir que todo lo anterior es un fabuloso cuento de hadas, pero alguien podría molestarse ante tal blasfemia. Mejor así lo dejamos y que cada quien piense lo que guste.

. . . .

¿Por qué no hay elecciones en el Estado Vaticano?

PORQUE SI LAS HUBIERA Y LAS ORGANIZARA EL PRI, TODOS LOS PAPAS SERÍAN MEXICANOS. ¿LA VENTAJA PARA MÉXICO? QUE ASÍ NO NOS VISITARÍA EL PAPA TAN SEGUIDO.

179

Si los obeliscos son símbolos fálicos y paganos... ¿qué hace uno dentro del Vaticano ?

Los fieles y creyentes que van al Vaticano fíjense bien que a la entrada hay un enorme obelisco lleno de imágenes de los dioses que adoraban los egipcios. ¡Un obelisco pagano, válgame Dios y la Santísima Virgen!

¿Por qué usa el Papa una triple corona?

La triple corona que usan los papas es copia de la que usaban los reyes persas. Todavía el Sha de Irán la usaba. La del Papa significa, según la Iglesia, el TRIPLE poder "concedido por Dios": el Santo Padre es DOCTOR, REY Y PONTÍFICE. Doctor porque "tiene palabras de vida eterna". Rey porque "su reino durará eternamente", y Pontífice porque "es el sacerdote de la Nueva Alianza". Eso dice la Iglesia que afirma ser un reino cuyo 1er. rey fue San Pedro y sus sucesores los papas. Y que *"el obispo de Roma ha sido reconocido siempre como el pastor supremo de la Iglesia, pues es el sucesor de Pedrito, el 1er. obispo de Roma"*.

Helio Flores (México)

180

HELIOFLOR95

¿Por qué viaja tanto el Papa?

Ya ha venido cuatro veces a México. Ya fue a Cuba y ha visitado en más de una ocasión todos los países de América.
¿Y a qué viene? Si ya somos católicos, ¿de qué quiere ahora convencernos?
Las presentaciones del Papa han sido comparadas con las grandes concentraciones de masas de los fascistas Hitler, Franco o Mussolini, o de los dictadores dizque de izquierda Stalin o Castro.
Su eficacia política es indudable; el entusiasmo colectivo, el frenesí fanático ante la figura mítica uniformada como emperador romano del Papa es una fuerza social de primer orden.
Los organizadores de los shows papales han desarrollado toda una tecnología basada en el uso de la psicología de las masas y las ciencias de la comunicación.
Todo un gigantesco aparato organizativo y promocional se encarga de preparar a las masas psicológicamente, de crear la expectación necesaria para que toda la población esté pendiente de la llegada del Papa.

Nadie se fija ni recordará lo que dijo el Papa, pero sí recuerdan el coche blindado que lo llevaba de un lado a otro. Nadie supo cuánto dinero se llevó tras su visita, ni supo tampoco, en medio de la euforia colectiva, con cuántos millonarios se reunió o con qué banqueros y políticos compartió la cena.
Ni mucho menos se sabrá en qué diablos nos benefició...

EL PAPA NO VISITA UN PAIS PARA ESCUCHAR A NADIE, NI LE IMPORTA QUE HAYA POBREZA O INJUSTICIAS. SUS VIAJES SON PARA HACERNOS VER QUE LA IGLESIA SIGUE SIENDO LA QUE MANDA EN EL MUNDO CATÓLICO AUNQUE OTRAS SECTAS LE AMENACEN EL NEGOCIO. EL PAPA VIAJA PARA REFORZAR SU ALIANZA CON EL PODER Y PARA DECIRNOS A TODOS QUE NO HAY PELIGRO DE QUE LA IGLESIA SE VUELVA CRISTIANA.

¿Por qué los creyentes no eligen a sus obispos?

....

¿Por qué no hay democracia en las iglesias?

¿Quién elige los papas y cardenales?

No es raro oír de vez en cuando que el dizque Santo Papa condena a equis país por falta de democracia. Sobre todo cuando se trata de países que quieren liberarse de las salvajes y nada cristianas políticas económicas del Imperio globalizante que los tiene apergollados del pescuezo desde hace años.

Y resulta por demás curioso que lo haga sin morderse la lengüita, pues si algo no existe en el Sacro Imperio Romano del Vaticano, es precisamente eso: DEMOCRACIA.

¿Quién elige al Papa, rey del minúsculo estado Vaticano? ¿Por qué no lo eligen los dos mil habitantes de la ciudad? ¿Por que no es elegido y votado por los millones de católicos que lo aceptan como máxima autoridad y representante?

Y lo que resulta peor: ¿por qué no intervienen los católicos de cada país para elegir a los obispos, arzobispos y demás parásitos? ¡Ni siquiera los eligen los propios sacerdotes y monjas que viven bajo su autoridad!

{ ¿Qué clase de democracia es ésa en pleno siglo XXI...? ¿Cuándo le rendirá cuentas el Sacro Imperio Vaticano a sus fieles y atarantados vasallos ? }

NUNCA, JOVEN: NOSOTROS SÓLO LE RENDIMOS CUENTAS A DIOS.

¡HAY QUE VOTAR POR UN GRINGO PA' QUE NOS PAGUEN EN DÓLARES!

Brueghel

Y, claro: si no hay democracia en el Vaticano, menos puede haberla en el interior de las iglesias y templos, donde se hace todo al más viejo estilo feudal, con el sacerdote orde- nando y los fieles obedeciendo a ciegas todo lo que manda y ordena el padrecito.
Ya me anda por enterarme de que algún feligrés cuestionó a su pastor o que alguna señora le dijo publicamente al señor cura que deje de acosarla sexual- mente en el confesionario. O que alguien pregunte a media *misa* por qué Jesús era pobre y el señor obispo acaba de cam- biar su coche de hace tres años por un último modelo.
Pero no: las religiones todas han establecido claramente que el papel del creyente es el de CALLAR Y OBEDECER.
Si algún día ocurriera alguno de esos milagros, ya no sería Iglesia católica, o sería indicativo de que el Vaticano se está volvien- do cristiano...

183

Brugel

¿ALGÚN CURA PUEDE CONTESTAR ESTAS PREGUNTAS?

¿SIN DECIR MENTIRAS? ZAFO.

LAS RESPUESTAS A ESTAS PREGUNTAS NO LAS TIENE NADIE, NI EL PAPA. SI EL LECTOR LAS TIENE, PUEDE INCLUIRLAS EN EL ESPACIO CORRESPONDIENTE. GRACIAS.

....

Si Cristo vivió y murió pobre, ¿por qué "su Iglesia" vive en el lujo y la opulencia?

....

Si Jesús fue hijo de Dios, ¿quién fue la esposa de Dios?

....

¿Por qué dijo Jesús que hay que odiar a los padres?

....

¿Por qué decían que los indios no tenían alma?

Si Jesús se hizo la circuncisión, ¿por qué los cristianos no se la hacen?

184

Si las serpientes fueron condenadas a arrastrarse, ¿cómo se movían antes?

....

¿Con qué mujeres se juntaron los hijos de Adán y Eva para procrear?

¿Por qué los peores asesinos han sido "cristianos"?

....

¿Por qué combate la Iglesia la planificación familiar?

¿Dios le hace más caso a lo que le pide un cura que un simple cristiano?

....

¿María tuvo trabajo de parto?

....

¿Este caótico mundo es lo mejor que pudo hacer el Todopoderoso?

....

¿Por qué los países católicos son los más atrasados?

....

¿Jesús sería cristiano?

¿CRISTIANO? ¡MEJOR ME IRÍA DE HARE KRISHNA!

185

¿El dios de los mahometanos es el mismo de los cristianos?

¡ALÁ ES ALÁ, MAHOMA SU PROFETA, Y BIN LADEN SU COMANDANTE EN JEFE!

186

Sí: igual de falso e igual de inventado por el hombre como los otros dioses. Quizás la diferencia esté en que los islámicos son un poco más fanáticos que los cristianos, pero en lo que se refiere a GUERRAS SANTAS, el Catolicismo les lleva enorme ventaja todavía.

En cuanto al dios de los judíos, el feroz Jehová, baste al lector echarse algunos capítulos de la Biblia para constatar los miles de muertos que hubo por orden directa del feroz dios.

Al lado de Alá, Jehová y Tres en Uno, nuestro Huitzilopochtli era un dios bondadosito...

Graff (Noruega)

¿ Dios está con el Islam o con Bush ?

Los yanquis al parecer tienen un trato firmado por Dios, que les permite poner en sus monedas y billetes "IN GOD WE TRUST", o sea "En Dios confiamos", cosa que ningún gobierno árabe ha logrado todavía.

Por el otro cachete, es sabido que los obispos y cardenales les bendicen los misiles y bombarderos inteligentes a todos los presidentes de USA, bendición que les toca a todos los soldados norteamericanos, aunque sean de origen latino. Por eso se cree que ganan todas las guerras y cuentan con la mejor organización terrorista del mundo como es la CIA.

Donde parece que les falló Dios fue en la guerra de Vietnam, en la que Dios se puso del lado del Vietcong que no se sabe a qué dios se encomendaba. Alá, sin embargo, puede ser el mismo dios de los gringos, pero con otro nombre, lo que vendría a desconcertarnos completamente del todo. Porque...

> **¿ EL CORÁN Y LA BIBLIA FUERON POR INSPIRACIÓN DEL MISMO DIOS ?**

que pac̲e̲
es ésta", dijo esperanzado al *Boston Globe*.

■ Es "necesaria", dicen
Obispos de EU apoyan la guerra

CIUDAD DEL VATICANO, 11 DE OCTUBRE. Los obispos estadunidenses apoyan la acción militar lanzada por el gobierno de su país contra Afganistán en respuesta a los atentados del 11 de septiembre en Washington y Nueva York, pero exhortan a que "sea guiada por los límites tradicionales sobre el uso de la fuerza", informó aquí la agencia Zenit, especializada en asuntos religiosos.

En una declaración distribuida por los prelados estadunidenses que participan en el Sínodo Mundial de Obispos, que se desarrolla este mes en Roma, se subraya que la acción militar siempre es lamentable, "pero puede ser necesaria para proteger al inocente o para defender el bien común".

Firmada por el obispo de Galveston, Joseph A. Fiorenza, presidente de la Conferencia Nacional de los Obispos Católicos, quien representa en el sínodo a la Iglesia en

187

¿Desaparecerá algún día el cristianismo institucional?

SI ALGÚN FELIZ DÍA DESAPARECE LA IGLESIA... ¿ALGUIEN LA EXTRAÑARÁ?

Esta pregunta, como casi todas las anteriores, no la querrá contestar ningún papa, obispo o cardenal. Si bien hay que decir que no todos los papas fueron unos malditos y que dentro de la Iglesia se han dado hombres notables por su bondad y amor al prójimo y seguidores fieles de las enseñanzas atribuidas al maestro de Nazareth, el resultado final de los casi dos mil años de cristianismo romano no favorece demasiado al Vaticano y su mafia gobernante.

El desprecio con que ha tratado la Iglesia –y aquí entran igual los protestantes– a sus "enemigos", opositores, disidentes y críticos, no ha tenido nada de cristiano.

El desprecio con que siempre ha tratado a esa mitad de la humanidad que son las mujeres, se contradice feamente con lo que hizo y predicó don Jesús.

Ese resultado final que obtiene la Iglesia "cristiana" lo resume claramente doña Riane Eisler en su estupendo estudio *El Cáliz y la Espada o la mujer como fuerza en la historia*. Y dice:

" ...el modelo para las relaciones humanas propuesto por Jesús, en el cual hombre y mujer, rico y pobre, gentil y judío son un todo, fue expurgado tanto de las ideologías como de las prácticas cotidianas de la Iglesia cristiana. Los hombres que estaban a la cabeza de la nueva Iglesia ortodoxa podían alzar en los rituales el antiguo Cáliz, ahora convertido en el Copón de la Sagrada Comunión lleno con la sangre simbólica de Cristo, pero en el hecho, la Espada estaba ascendiendo nuevamente por encima de todo. Bajo la espada y el fuego de la alianza de la Iglesia y las clases gobernantes no solo caían los paganos, como los mitracistas, judíos o devotos de las antiguas religiones misteriosas de Eleusis y Delfos, sino también cualquier cristiano que no se sometiera y aceptara su regencia.

Ellos aún proclamaban que su meta era divulgar el Evangelio de amor de Jesús. Pero a través del salvajismo y horror de sus Santas Cruzadas, sus cazas de brujas, su Inquisición, sus quemas de libros y personas, no divulgaron amor sino los antiguos grilletes andrónicos de represión, devastación y muerte. Y así, irónicamente, la revolución de la no-violencia de Jesús, en el curso de la cual él murió en la cruz, se convirtió en el gobierno de la fuerza y el terror.(...) El cristianismo se convirtió en lo que prácticamente todas las religiones, lanzadas en nombre de la iluminación y la libertad espirituales, han llegado a ser: una via poderosa para PERPETUAR ese orden."

¿Le quedan ganas al lector de seguir siendo católico?

¿ CÓMO SE TRANSFORMÓ AQUEL PEQUEÑO GRUPO DE SEGUIDORES DE JESÚS EN DESCONTENTO CON LA SOCIEDAD, EN LA PODEROSA IGLESIA DUEÑA DE HACIENDAS Y CONCIENCIAS Y POLICÍA ESPIRITUAL DEL MUNDO OCCIDENTAL ? Desde luego no por la fuerza de la razón, sino por la razón de la fuerza, lo que es penosísimo... La Iglesia "nueva" venció, pero no convenció. Sigue sin convencer pero sigue venciendo. No creo que Jesús sería cristiano. Se me hace que sacaría del Templo al Papa y su corte imperial.

189

TEPOZTLAN-X-2001

BIBLIOGRAFÍA

GUÍA DE LA BIBLIA / NUEVO TESTAMENTO
Isaac Asimov / Plaza & Janés Barcelona 1988

CHRISTIANITY BEFORE CHRIST
John G. Jackson / American Atheist Press 1985

MENTIRAS FUNDAMENTALES DE LA IGLESIA CATÓLICA
Pepe Rodríguez / Ediciones B. Barcelona 1998

EL ESCÁNDALO DE LOS ROLLOS DEL MAR MUERTO
Michael Baigent y Richard Leigh / Martínez Roca 1993

EL MIEDO A LA VERDAD
Mauro Rodríguez Estrada / Pax México 1999

LOS EVANGELIOS GNÓSTICOS
Elaine Pagels / Grijalbo Crítica / Barcelona 1982

EL CÁLIZ Y LA ESPADA
Riane Eisler / Pax México 1997

LA MADRE DE DIOS
Jesús Amaya / Editorial Lumen / México 1931

SOBRE DIOS Y LA RELIGIÓN
Bertrand Russelll / Alcor Martínez Roca 1997

DICCIONARIO FILOSÓFICO
Voltaire / Cia. General de Ediciones México 1967

LAS ENSEÑANZAS SECRETAS DE JESÚS
Marvin W. Meyer / Grijalbo Crítica / Barcelona 1986

EL HOMBRE QUE SE CONVIRTIÓ EN DIOS
Gerald Messadié / Martínez Roca   México 1991

BABILONIA, MISTERIO RELIGIOSO
Ralph Woodrow / edición del autor / Riverside, Ca.

LA EDAD DE LA RAZÓN
Thomas Paine / Conaculta México 1990

LAS FINANZAS DEL VATICANO
Conrado Pallenberg / Aymá Editora Barcelona 1969

EVANGELIOS APÓCRIFOS / Sepan Cuántos Porrúa 1996

¿QUIÉN ESCRIBIÓ LA BIBLIA ?
Richard Elliott Friedman / Martínez Roca México 1992

LOS ESENIOS Y LOS ROLLOS DEL MAR MUERTO
César Vidal Manzanares / Martíez Roca México 1993

CRISTO : ¿ MITO O REALIDAD ?
Academia de Ciencias de la URSS / Nauka 1986

DICCIONARIO DEL HOMBRE CONTEMPORÁNEO
Bertrand Russell / Santiago Rueda B.Aires 1955

EL DOGMA DE CRISTO
Erich Fromm / Paidos Studio México 1984

JESÚS EL JUDÍO
Geza Vermes / Muchnik editores / Barcelona 1997

LO QUE DIJO VERDADERAMENTE LA BIBLIA
Manfred Barthel / Martínez Roca Barcelona 1982

LA HISTORIA CRIMINAL DEL CRISTIANISMO
Karl Heinz Deschner / Martínez Roca. México 1993
(Primera de nueve partes. Se han traducido seis).

LA VIDA SECRETA DE JESUCRISTO
Nicolás Notovich / Posada México 1973

VICARIOS DE CRISTO
Peter de Rosa / Martínez Roca Barcelona 1993

SANTA BIBLIA / Anotada por Scofield / 1987

JERUSALEM ON LINE / de la revista "Jerusalem pers-
pective. Páginas web. Jerusalem 2001

JESUS DE NAZARET
Joseph Klausner / Paidós 1971

La religión es un consuelo. Consuela como las drogas, como los anestésicos y el alcohol. Y como esos consoladores, limita la actividad cerebral e impide pensar. Por eso busca la gente la religión.

ARCHIVO RIUS

IDEAS, MONOS, TEXTO Y
DISEÑO GRÁFICO: rius

verd

191

Para cerrar con broche de
oro presentamos en exclusiva
la primera versión conocida
del "Espíritu Santo":

JÚPITER Y LEDA.

El católico preguntón,
de Eduardo del Río (Rius)
se terminó de imprimir en marzo de 2003 en
Grafik Impresores, S.A. de C.V.
Pastores 68, Col. Sta. Isabel Industrial,
México, D.F.